더 늦기 전에,
더 잃어버리기 전에

이제는 용감해질 나이

김희자 지음

대경북스

이제는 용감해질 나이

1판 1쇄 인쇄 2023년 6월 23일
1판 1쇄 발행 2023년 6월 28일

발행인 김영대
편집디자인 임나영
펴낸 곳 대경북스
등록번호 제 1-1003호
주소 서울시 강동구 천중로42길 45(길동 379-15) 2F
전화 (02)485-1988, 485-2586~87
팩스 (02)485-1488
홈페이지 http://www.dkbooks.co.kr
e-mail dkbooks@chol.com

ISBN 978-89-5676-961-5

프/롤/로/그

남편 경영

우리는 그리움에 물든 보랏빛 사랑을 했습니다. 그리고 어렵사리 남편과 아내가 되었습니다. 우리는 행복한 가정을 원했습니다. 첫날밤 아내는 남편을 평생 존경하며 섬기며 사랑하리라 다짐했습니다.

그러나 부부는 서로 사랑했지만 표현하는 방식이 달랐습니다. 아내는 서울 여자, 남편은 경상도 남자입니다. 그렇게 우리는 자라온 환경과 문화가 달랐습니다. 사고의 뿌리가 다르니 열매로 나타나는 행동도 달랐습니다. 그러나 이것 때문에 우리 사랑의 크기와 농도를 의심한 적은 없었습니다.

개방적인 분위기에서 자란 아내는 남편과의 문화적 괴리를 홀로 감당해야 했습니다. 남편은 답답할 정도로 보수적인 사람입니다. 남편은 어린 자녀의 기저귀를 한 번도 갈아준 적이 없었습니다. 그것은 여자의 일이었으니까요.

아내는 남편이 이해하지 못하는 것을 더이상 요구하지 않았습니다. 이렇게 남편에게 맞추어 하나하나 포기하다 보니 아이를 키우는 일, 남편 뒷바라지, 자잘한 시댁일까지 집 안팎의 일이 모두 아내의 몫이 되어 버렸습니다.

아내는 자신이 먼저 행복해지는 길을 모색하거나 애써 찾지 않았습니다. 그리고 아내보다 먼저 남편이 행복하기를 바랐습니다. 남편이 행복하면 아내도 행복했으니까요. 이것이 가족 모두가 행복한 길로 가는 지름길이라고 생각했습니다. 아내는 항상 남편과 자녀에게 초점이 맞혀져 있었습니다. 가정이라는 울타리 안에서 아내의 사랑을 먹고 가족은 행복했습니다.

긴 인생을 살면서 아내는 남편을 그리고 싶은 대로 화폭에 담았습니다. 밑그림을 스케치하고 그 위에 유화로 덧칠했습니다. 때로는 화려하게 어느 때에는 무채색으로 남편을 그려 나갔습니다.

남편을 바라보며 아내는 존경하고 싶은 지도자 상을 구체적으로 그렸습니다. 그리고 구상한 대로 하나하나 블록을 쌓아 작은 거인의 모습을 완성해 갔습니다. 오랜 시간이 걸렸지만 초조해 하지도, 실망하지도, 결코 포기하지도 않았습니다. 그리고 마술사가 주문을 외듯 확언했습니다. 그리고 믿음으로 항상 기쁘게 하나님께 기도했습니다.

누구에게나 한 가지쯤 특별한 재능이 있습니다. 그러나 재능을 발견하고 키워주는 사람이 있을 때만 그 재능은 빛을 봅니다. 아내는 평범한 한 남자에게 천재성이 있다고 믿으며 살았는지도 모릅니다. 아내는 정성을 다해 남편을 섬기며 사랑했습니다.

아내가 이렇게 기다릴 수 있었던 것은 남편을 향한 믿음 때문이었습니다. 남편은 성장하면서 아내의 믿음대로 가족과 사회를 변화시키는 커다란 거목이 되어가고 있었습니다.

하지만 남편은 성장하는 데 반해 아내는 점점 나약해졌습니다. 아내는 더이상 장부같이 씩씩하지 못합니다. 남편 눈에는 아내의 아픔이 보이지 않습니다. 처음에 작게 시작한 서운함이 깊어지니 의지와 상관없이 상처가 되어가고 있었습니다. 같이 사는 남편은 이런 아내의 위기를 감지하지 못했습니다. 아내 역시 자신의 아픔을 알릴 방법을 몰랐습니다. 표현 못하는 사랑으로 가정에 위기가 닥쳤습니다.

위기 덕에 남편도 아내도 변화를 겪었습니다. 자녀가 떠난 빈자리와 함께 부부는 두 번째 신혼을 맞이했습니다. 원했지만 방법을 몰랐던 젊은 시절과는 다른 삶을 살게 되었습니다. 용기만 있으면 원하는 것을 얻을 수 있습니다. 이제는 아내가 사랑받을 차례였습니다. 아내는 가족의 지지와 보살핌을 원했습니다. 그리고 이제는 "내가 사랑받을 차례!"라고 용감하게 소리쳤습니다.

아픔이 겪은 후 아내는 이기적으로 살기로 결심했습니다. 이것이 남편과 가족을 지키는 일이라 여겼습니다. 그리고 지금 부부는 유치할 만큼 넘치는 사랑을 표현하며 서로를 충만하게 사랑하고 있습니다. 이제는 나 자신을 외롭게 두지 않으려 합니다. 세월은 육신을 나약하게 하지만 마음을 건강하게 가꾼다면 우리는 더욱 자유롭고 여유로우며, 찬란하고 아름답게 계속해서 성장할 수 있습니다.

우리 부부는 오늘도 찬란한 햇살에 농익은 홍시처럼 깊은 향기를 풍기며 아름다운 소풍을 준비하고 있습니다. 그동안 삶의 원동력이 되어준 혁이와 민이 그리고 기쁨이 되어준 지선와 이수, 사랑하는 남편 호산 박영배 님께 이 책을 빌어 감사와 존경을 표합니다.

끝으로 이제껏 나의 모든 삶을 은혜로 이끌어 주신 하나님께 영광 돌립니다.

차/례

8

차례

제1부

만남과 결혼

우연한 만남

　내가 남편을 처음 만난 날은 추운 겨울이었다. 그날 전화 한 통을 받았다. 수화기 너머 우는 목소리가 들려왔다. 친한 친구였다. 이유인 즉슨 남자 친구인 육사 생도와 다퉜다는 것이다. 그 친구는 남자 친구와 화해하는 걸 도와 달라며 학교에 같이 가 달라고 부탁을 했다. 간곡한 부탁을 이기지 못해 결국 끌려가듯 떠밀려 처음으로 육사 교정을 방문했다.

　1월임에도 교정은 웬일인지 학생들로 북적였다. 생도들이 파트너와 함께하는 중대별 합창 대회를 준비하고 있었던 것이다. 합창 대회라고 하지만 노래 실력을 겨루는 데는 관심이 없어 보이고, 어느 중대에 여자 파트너가 더 많이 왔는가 하는 데에만 죄다

눈길이 쏠려 있는 듯했다.

화해를 목적으로 왔는데, 이미 화해는 의미 없는 얘기가 됐고 어느새 함께 간 친구와 나는 생도들 무리 속에 휩쓸려서 합창을 하고 있는 게 아닌가! 젊은 남녀는 자연스레 짝이 정해졌고, 한 달 동안 주말마다 합창 연습을 하러 다녔다. 그들에게는 데이트하기 좋은 핑계였다. 이렇게 친구 따라 강남 간 나는 정말 우연히도 운명처럼 내 남자를 만나게 되었다.

우여곡절 끝에 합창 대회에서 남편이 낀 중대가 일등을 했다. 생도들에게는 모처럼의 외출이 허용되었고, 우연히 합창으로 맺어진 남자 넷과 여자 넷이 영화도 보고, 모임은 저녁 식사까지 이어졌다. 그러면서 자연스레 각자의 파트너에게 애프터를 신청하는 분위기가 됐다. 이상하게도 남편은 내게 전화번호를 묻지도, 애프터도 청하지 않고, 그대로 헤어질 분위기였다. 불쾌해 하는 내 표정을 알아차렸는지 그제야 남편은 우물쭈물 전화번호를 물어본다.

그런데 메모지가 없었다. 충무로 3가 버스 정류장에 메모지가 있을리 만무하다. 주위를 둘러보니 조금 떨어진 곳에 매점이 보인다. 내 눈에만 보였나 보다. 난 말도 없이 단숨에 뛰어가 메모지를 가지고 왔다. 그리고 전화번호를 적어 그의 손에 꼭 쥐어 주었다. 지금도 '내가 왜 그때 그랬을까?'하고 웃음이 나온다.

내가 남편에게 전화번호를 준 건 그에게 호감이 있어서가 아니었다. 이 육사 생도의 합창 파트너를 한답시고 내 나름 주말을 포기하면서까지 도왔는데 말이다. 다른 생도들은 시간에 딱딱 맞춰 파트너를 맞으러 마중 나와 있었지만, 이 남자는 번번이 교문 앞에서 나를 기다리게 하거나 알아서 들어오게 만들었다.

그 당시 남편은 간부 생도로 진행을 맡았었다. 처음엔 당연히 바빠서 그런 줄 알았다. 그래도 서운한 건 서운한 것이다. 이 무관심이 계속되자 한순간 오기가 생겼다. '내가 어떤 여자인지 겪어보면 금방 알 테니 나중에 매달리지나 마라.' 최대한 속을 태워놓고 보란 듯이 차버리리라 생각했다. 분명 그런 마음이었다.

그런데 웬일인가. 하루밖에 지나지 않았는데 내가 차 버릴 남자의 전화를 목이 빠져라 기다리는 게 아니겠는가. 하지만 일주일이 다 되도록 전화는 오지 않았다. 기다리다 지쳐서 이제 오기마저 사그라질 즈음 전화벨이 울렸고, "안녕하세요!"하고 수화기 너

아영 하영화

머로 기다리던 남자의 목소리가 들렸다. 가슴이 뛰었다. 얼마나 기다린 전화인가!

다음 날 만나자고 한다. 마침 일정이 있어서 그와의 약속 시간을 맞출 수가 없었다. 내심 튕겨볼까 하는 생각이 들자마자 이 남자는 "그럼, 다음에 전화드리지요."하고 끊으려 하는 게 아닌가. 세상에 이럴 수가 있나? 순간 나 역시 다급해졌는지 나도 모르게 "안 돼!"하고 소리를 지르고 말았다.

훗날 남편은 이날을 추억하며 '뭐 이런 여자가 있나?'하고 생각했단다. 그날 수화기 너머 쩌렁쩌렁하게 울렸던 "안 돼!" 이 한 마디는 남편의 기억 속에 지금도 선명히 각인되어 있었다. 그만큼 인상적이었다는 이야기겠지만….

나는 감정의 필터가 필요 없는 직진형이기도 하고, 적극적이다 못해 이거다 싶으면 그냥 몸이 먼저 움직이는 돌진형이기도 했다. 나와 남편은 완전히 다른 형의 인간이다. 남편은 무뚝뚝하면서 불필요한 이야기는 절대 하지 않는 무색무취의 순수한 경상도 남자였다. 그래서 이 남자의 말은 언제나 짧았다. 게다가 내게 꼭 해야 할 말도 하지 않으니 여자로서 답답하기 그지없었다. 사랑 표현도 최소한만 한다. 완전 표현 구두쇠다. 남편은 꼭 말을 해야 아느냐고 반문하며 도리어 나를 답답해한다. 그런데 나는 말을 안

해주면 전혀 모른다. 살다 보니 속도 깊고 정도 많은데 세월이 지나도 이런 남편에게는 여전히 적응이 안 된다. 우스갯소리로 경상도 남자가 집에 와서 하는 말은 "밥 도.", "자자." 딱 두 마디라고 한다더니 진짜였다.

그때 왜 몰랐을까. 남편의 시야에는 내가 들어설 자리가 많지 않다는 생각이 문득문득 들었다. 그리고 '나는 이렇게 괜찮은 여자인데 왜 관심이 없냐?'고 애써 나를 증명해 가며 살았다. 그때 오기로 전화번호만 적어주지 않았더라도 평생 이 남자와 살지는 않았을 텐데.

다음 날 나는 결국 중요한 일정을 다 포기하고 남편을 선택했다. 우리의 데이트 장소는 〈종로서적〉이었다. 이곳은 결혼 전까지 우리의 아지트가 되었다.

제복 속 비밀

처음 제복 입은 생도를 봤을 때, 다들 몸도 마음도 강직해 보였다. 생도들은 마주 오는 상관에게 경례를 하며 "통일!"을 목청껏 외쳤다. 목소리가 얼마나 큰지 허공을 가득 메웠다. 그들은 진심으로 통일을 갈망하는 것 같았다.

남편이 다닌 고등학교에는 육사에 진학한 선배가 한 명도 없었다. 그래서 육사 선배들의 정보와 조언을 들을 수 없는 것이 가장 아쉬운 점이었다. 당시 육사 시험은 필기시험을 보고, 그다음 수능에 해당하는 예비고사와 체력 측정, 면접을 보는 순서로 진행되었다. 당시 필기시험은 대부분 주관식 논술형이었다. 남편은 논술고사에 대한 정보가 턱없이 부족한 상황이었지만, 누구의 도움도 없이 독학으로 준비해서 합격하였다.

예비고사와 면접까지 끝내고 합격이라는 기쁨을 만끽하려 할 때였다. 육사는 정식으로 입교하기 전에 한 달간 가입교하여 기초 군사훈련 과정을 통과해야 한다. 여기서 낙오하면 모든 것이 무효가 된다. '사자는 자기 새끼를 절벽에서 떨어뜨려 살아남는 새끼만 키운다.'라는 말처럼 기초 훈련에서 살아남는 자만이 정식 생도가 될 수 있었다. 가입교해서 받는 기초 군사훈련은 무척이나 힘이 들었다. 그것은 소위 사람을 짐승처럼 취급하면서 훈련을 시킨다는 의미에서 'beast training'이라고 불릴 정도였다고 한다.

생도 생활은 매일매일이 긴장의 연속이었다. 유일한 휴식은 여름과 겨울 방학, 각각 한 달이었다. 고향에 내려갈 수 있는 유일한 기회이다. 남편은 동문 없는 서러움을 알기에 생도 4년 동안 방학이 되면 모교를 찾아 적극적으로 육사 홍보를 했다. 그 덕분에 이후 고등학교 후배들이 여덟 명이나 입학했다. 남편은 끔찍하게 후배들을 아꼈다. 그동안의 서러움을 후배 사랑으로 풀었다. 후배들도 남편뿐 아니라 나에게까지 깍듯하게 형수님 대접을 해 주었다.

생도들은 엄격한 규율 속에서 철저한 자기 관리 훈련을 받았다. 그리고 아침저녁으로 사관생도 신조를 외쳤다.

"하나, 우리는 조국과 민족을 위하여 목숨을 바친다."

"하나, 우리는 언제나 명예와 신의 속에 산다."

"하나, 우리는 안일한 불의의 길보다 험난한 정의의 길을 택한다."

이러한 외침이 반복될수록 국가에 대한 올바른 가치관이 마음 깊숙이 새겨졌다. 이들은 이 구호를 매일매일 반복했다. 그러는 사이 국가로부터 받은 사명을 각인하고 험난한 정의의 길을 택할 것을 매번 다짐했다.

남편은 그렇게 준비되고 있었다. 한 해 한 해가 지나면서 제복 속으로 지도자의 피를 수혈받고 장기를 이식받아 새롭게 태어나는 것 같았다. 생도들은 주말 외출을 마치고 등교 시간을 5분만 어겨도 퇴교를 당한다. 단 한 번의 실수도 용납되지 않았다. 친척에게 들은 이야기지만 남편의 사촌 형이 생도 3학년 때 단 한 번의 실수로 퇴교당한 아픈 사연이 있었다. 그러니 남편의 생도 생활은 더 긴장되었을 것이다.

매시간이 훈련과 시험의 연속이었다. 그들은 살아남은 새끼 사자였고, 정글을 지배하는 지도자의 훈련을 감당해야 했다. 스스로 판단하고 행동한 것에 대한 책임이 부여되었다. 반복된 훈련을 통해 지도자에 알맞은 모습으로 재조립되었고, 학년이 올라갈수록 일반 생도에서 병사들을 다루는 지휘관 모습으로 변신했다. 모든 과정을 무사히 통과하는 자만 졸업과 동시에 장교로 임관될 수 있다.

그 무렵 대통령 시해 사건이 일어나 유신체제 붕괴로 이어졌다. 대학생들은 민주주의를 외쳤고, 대학가 곳곳에서 전투경찰의 최루탄과 대학생의 화염병이 맞섰다. 언론과 문화 탄압이 극에 달하던 시대였다. 시대를 비관하는 젊은이들은 술과 통기타로 세월을 노래했다. 우리 사회는 이루 말할 수 없이 심각한 대혼란을 겪고 있었다. 그러나 생도인 남편은 그 시절 세상 밖의 젊은이들과는 확연히 다른 세상에 살고 있었다.

나는 제복 속으로 흐르는 남편의 용솟음치는 열정과 투지의 심장 소리를 들었다. 그리고 느꼈다. 까까머리 고 3짜리 어린 학생에서 지도자가 되기 위해 흘렸던 남편의 고뇌와 피와 땀을 보았다. 나는 그 시절 남편이 어릴 적 읽었던 위인전 속에나 나올 법한 위인이 되어야 한다고 생각하고 있었는지 모른다.

이순신 장군, 김유신 장군같이 위기에도 굽히지 않고 신념으로 나라를 구하는 장군이 되어야 한다고 생각한 것일까. 그가 외친 신조와 훈련 속에서 살아남은 투지를 기억하고 있다. 그리고 그가 외친 사명이 변색되지 않도록 남편에게 각인시켜 주고 싶었다. 이것 또한 군인 아내의 사명이라고 생각했다.

이제껏 남편이 어떤 보직에 있든지 그 자리가 가장 중요하다고 생각했다. 일이 전부인 남편은 비록 가정에는 소홀했지만 맡겨진 임무에 성실하고 책임감 있는 모습을 보면서 위기 상황이라면 가정을 지켜줄 것을 확신했다. 한 명의 지도자는 세상을 바꾼다. 그들은 나라를 지키고, 나라를 이끌어 갈 청년들을 책임진다. 위기 상황에서는 몹시 어려운 결정도 내려야 한다. 남편이 올곧은 지도자가 되기를 바라며 성장하는 과정을 지켜보았고, 여전히 응원의 박수를 보내고 있다.

화랑축제와 휘앙세 반지

생도는 여성과 동행할 경우 남녀가 1미터 간격으로 떨어져 다녀야 했다. 우리는 함께 다니면서도 손을 잡을 수 없었다. 조선 시대도 아닌데 말이다. 학교 규율에는 금혼, 금주, 금연을 강요하는 3금제도가 있었다. 생도들의 자제력을 키우며 도덕성을 고취시킨다는 의미였겠지만, 우리에게는 지켜야 할 규율일 뿐이었다.

우리는 외박이 허용되는 주말이면 귀가 시간까지 계속 함께 있었다. 월급이 나와 여유가 있는 주말에는 종로 레스토랑에서 근사하게 식사를 하고, 국립극장에 가서 오페라도 보았다. 월급이 떨어질 즈음에는 외출을 자제하고 학교 안에서 탁구도 치고 영화도 보고 육사 교정에 있는 못 옆 작은 숲에서 책을 보기도 했다.

어쩌다 내 용돈이 두둑한 날이면 통닭과 김밥을 준비해 후배들을 불러 모아 형수 노릇도 했다.

그렇게 주말 데이트가 끝나면 평일 월요일부터는 전화와 편지 데이트가 시작된다. 매일 같이 9시 점호가 시작하기 전 남편으로부터 전화가 왔다. 나 역시 9시 전에는 항상 전화기 옆에서 대기하고 있었다. 전화 통화가 끝나면 못내 아쉬움을 달래며 펜을 들어 편지를 썼다.

졸업 파티 때에 남편은 나를 훈육관님께 소개했다. 훈육관님은 10년 앞서 임관한 선배 장교로 생도 생활 전반을 관리해 주는 기숙사 사감 같은 분이다. 나를 보시고는 "자네가 매일 전화를 걸게 한 장본인이군." 하셨다. 중대장 생도인 남편이 매일 점호 전 전화 박스에 가서 누구와 통화하는지 무척 궁금하셨다고 한다. 훈육관님은 사모님까지 인사시켜 주시며 본인도 생도 때부터 연애해 결혼에 골인한 부부라고 덕담을 해주셨다.

점호까지 전화 걸 수 있는 시간은 단 30분뿐이었다. 그 시각 공중전화 박스 앞에는 하루 일과를 마친 생도들이 애인과 가족에게 전화를 하려고 길게 줄을 서 있었다. 남편은 시계를 보며 자기 차례가 오길 얼마나 초조하게 기다렸을까. 어느 날인가 전화가 늦게 온 날이었다. 전화를 걸자마자 뒤에 기다리는 친구를 위해 전화를 끊어야 한다며 통화를 시작하자마자 끊은 적도 있었다.

단 몇 분의 통화는 우리를 이어주는 탯줄 같았다. 간단히 안부와 사랑을 확인하는 한마디가 우리의 사랑을 키워주는 자양분이었다. 정확한 시간에 맞춰 매일 전화하기가 무척 어려웠다는 것을 훈육관님 말씀을 듣고서야 깨닫게 되었다. 남편은 무뚝뚝한 남자에서 사랑스런 다정한 남자로 변해 가고 있었다.

우리는 많은 편지를 주고받았다. 365일 일기를 쓰듯 매일매일 편지를 썼다. 우리는 매주 보아도 보고 싶었고 또 그리웠다. 그 시절에는 긴 통화를 하기가 어려웠으니 마음속 이야기를 전하는 데는 편지만한 게 없었다. 결혼하고 보니 남편은 나의 편지를, 나는 남편의 편지를 스크랩해서 소중하게 보관하고 있었다. 이렇게 우리는 서로의 순간순간을 소중하게 간직했다.

이 책을 집필하면서 우리의 첫 만남 이야기를 쓰려니 오래된 기억은 커튼에 가려진 불빛같이 희미했다. 다행스럽게도 사십 년이 넘게 보관하고 있는 젊은 시절 주고받던 연애 편지와 신혼 일기장 덕분에 아름다운 기억을 더듬어 낼 수 있었다. 편지에는 오늘 하루의 일상과 우리가 함께할 미래에 대한 이야기가 빼곡하게 적혀 있었다. 우리는 고된 젊은 날을 열정적으로 살 수 있도록 격려하며 위로했었다. 지금도 가끔 보면 우리의 젊음은 유치할 정도로 밝고 아름다웠으며 오색찬란하게 빛이 났다. 오래된 편지들은 누가 무어라 해도 우리에게 보물 1호이다.

남편은 화랑축제 때 휘앙세 반지를 나에게 주었다. 가운데 빨간 루비가 박혀 있고 그 둘레로 '육사'가 새겨진 반지다. 우리는 미래를 약속했다. 남편은 생도 입학 때부터 매달 조금씩 월급을 떼어 미래의 아내를 위해 지금까지 적금을 부어 마련한 것이라고 했다.

3학년 때 남편은 기수 생도라는 직책을 맡았다. 나는 몰래 기숙사에 들어가 화랑축제 준비를 도왔었다. 나도 내년에는 화랑축제에 꼭 참석하고 싶다고 간절하게 바랐다. 마침내 1년이 지나 루비가 타오르는 불꽃같은 사랑을 상징하듯, 남편은 준비한 휘앙세 반지를 간절히 기다리던 여인에게 주었다. 임관 전 나는 약혼녀 자격으로 축제에 함께 참석했다. 이 축제는 우리에게는 약혼식이었고, 나에게는 군인 아내의 책임을 인식시키려는 의식같았다.

후배 생도들은 축제 분위기를 띄우기 위해 기숙사 방을 장식했다. 3학년 때 내가 도와준 것 같이 신랑은 말을 타고 신부는 가마를 타는 그림을 그려놓기도 하고 축하하는 꽃꽂이를 준비하기도 했다. 후배들은 선배를 위해 휘앙세 한 쌍에게 내무반 하나씩 내어 주었다.

남녀가 1미터 간격으로 다녀야 하는 규율이 있었지만, 이날만은 공식적으로 졸업생에게는 둘만의 거리를 허용했다. 남편과 내 이름이 적힌 방에 들어갔지만 사실 우리는 아무것도 할 수 없었다. 문을 열고 나오니 문 앞에 후배들이 잔뜩 모여 귀를 기울이고 있었다. 나와 남편은 후배들이 문 밖에서 무슨 상상을 했을지 생각하며 미소를 지었다.

우리의 연애는 그리 순탄하지만은 않았다. 피난 시절 아버지는 경찰이셨다. 어머니는 아버지의 발령지를 따라 어린 4남매를 데리고 다니기 무척 고생스러우셨단다. 삶의 고달픔을 아시는 어머니는 아무리 잘 나가는 육사생이라도 군인 사위를 못마땅하게 생각하셨다.

어머니는 내게 고생문이 훤하니 다시 생각해 보라고 근심 섞인 목소리로 나를 달래기도 하고 야단도 치셨다. 어느 부모가 자신이 걸어온 고생길을 자식이 따라 걷겠다는데 말리지 않겠는가. 나는 남편의 인간성을 선택한 것이지, 남자의 직업을 선택한 것이 아닌 데 말이다. 그러나 세월이 흐르고 보니 군인과 결혼한 것이 맞았다.

어머니는 축제의 의미를 아시기에 화랑축제 가는 걸 막으셨다. 며칠간의 단식 투쟁 끝에 어머니는 나의 사랑에 설득당했고, 나의 단호한 사랑에 어머니의 마음을 기꺼이 양보해 주셨다. 어머니는 내가 선택한 사랑에 딸려오는 책임을 강조하시며, 남편을 끝까지 섬기라고 당부하셨다. 그리고 화랑제에 입고 갈 곱디고운 분홍빛 공단에 목련을 수놓은 한복을 손수 맞춰 주셨다. 어머니는 딸의 현명한 선택을 믿어주셨다.

전방에서 온 편지

　최전방으로 떠나는 남자와 헤어질 생각을 하니 마음이 무거웠다. 결혼만 한다면 어디든지 함께 갈 수 있는데, 아직 연인관계인 우리에게는 헤어지는 시간이 견디기 어려웠다. 그래서 우리에게 결혼이 더 절실했는지도 모른다. 참 이상하다. 헤어지는 연습은 수십 번 수백 번을 해도 익숙해지지 않은 채 아쉬움만 점점 더 깊어갔다. 우리는 잠시의 이별이 영원한 이별의 시작이 될까 봐서 두렵기만 했다.

　우리 사랑은 두 사람의 뜻만으로 이루어지는 것이 아니었다. 우리가 결혼하는 과정은 고난의 연속이었다. 간신히 교제를 허락했던 친정엄마도 시댁에서 거듭 결혼 반대 의사를 밝히니 성이 나

셨다. 귀하디 귀한 막내딸을 멀리 대구까지 시집보낼 이유가 없기 때문이다. 우리의 사랑 전선에는 이렇게 어두운 장막이 드리워지기 시작했다. 우리는 각자의 사랑이 희석될까봐 노심초사했다. 시댁에서는 한마디도 못하는 이 남자를 바라보고 있으면 나를 사랑하지 않는다는 생각마저 들었다.

하지만 그것도 잠시 서로의 믿음이 있기에 금세 아름다운 커플로 되돌아갔다. 우리는 상대가 서로를 선택하여 준 것을 경건한 마음으로 겸손히 받아들이고 있었다. 그리고 감사함을 느낀다. 어느 드라마의 대사같이 '사랑하면 상대방을 추앙하라.'는 표현에 공감했다. 그가 무엇을 하든지, 어떤 말을 하든지, 그의 말을 믿었다. 그것은 절대적 추앙이었다. 사랑하는 사람은 사랑을 증명하기 위해 무엇이든 할 수 있다. 사랑하는 한 사람으로 인하여 사랑받는 사람은 수정처럼 찬란하게 빛나는 존재가 된다. 우리는 그런 사랑을 했다.

처음 부임한 부대는 특수한 임무를 수행하는 최전방 부대였고, 마을과 멀리 떨어져 있었다. 부대에는 일반 전화기가 없어 전화를 하려면 한 시간을 걸어 마을까지 내려가야 했다. 하지만 초급 장교에게는 그 외출마저도 허용되지 않았다. 요즘 같으면 상상도 안 되는 상황이지만, 그때는 그런 것이 당연하게 받아들여질 때였다.

그때 유일한 연락 수단은 편지였다. 일주일에 한 번 오는 편지병을 통해 편지를 부치면 너무 오래 걸린다. 유일하게 빨리 전달하는 방법은 외박 나가는 사병에게 편지를 맡기는 것이다. 어느 날인가 작전이 없으니 면회를 오면 볼 수 있을 거라고 편지가 왔다.

밤을 새워 김밥을 말고, 불고기도 하고, 과일도 썰어 정성껏 도시락을 쌌다. 새벽에 출발해 꼬박 한나절 걸려 부대에 도착했다. 처음 찾아가는 산길은 인적도 드물고 무섭기만 했다. 하지만 남편을 만날 생각에 꾹 참고 기대감에 발길을 재촉했다. 그러나 저녁 시간이 다 되도록 남편과는 연락도 되지 않았다. 거기까지 갔는데 전화 통화조차도 할 수 없다니. 무서운 길을 되돌아 나오며 나도 모르게 눈물이 저절로 흘렀다.

사실 그날 친정엄마 모르게 남편에게 면회를 갔다. 엄마는 전방에 간 남편과 내 사이가 멀어졌다고 생각하고 계셨다. 이때 나는 졸업을 하고 언니네 집에서 직장을 다니고 있었다. 그날 언니 집에서 밤새 도시락을 준비해서 몰래 찾아간 면회가 들통난 것이다.

남편은 외출 못 나온다고 연락을 해야 했기에, 어쩔 수 없이 급한 마음에 친정으로 전화를 해서 오늘 면회 오지 말라고 했다. 이미 나는 새벽같이 부대를 향해 떠났고, 전화를 받은 친정엄마는 헛걸음질할 나를 생각하며 하루 종일 걱정하셨다. 남편은 미안한 마음에 속이 상했고, 나는 그 무서운 밤길을 쓸쓸히 되돌아와야 했다. 그날은 남편을 못 만난 서운함에 엄마한테까지 혼나니 복받치는 서러움은 말할 수 없이 깊어만 갔다.

내 생일에 외박 허락을 받아 꼭 나가겠다는 편지를 받고, 종로의 음악 감상실에서 종일 기다린 적도 있었다. 생일날 끼니도 거른 채 여덟 시간이나 출입문만 응시하며 남편의 미소띤 얼굴만 기다렸다. 눈치 주는 음악 감상실 종업원도 무시한 채 말이다. 남편이 나를 생각하며 발길을 재촉하며 오고 있다고 나는 상상했다. 하지만 마감 시간이 되자 이제는 더이상 기다릴 수조차 없다. 닫힌 음악 감상실 문 앞에 말없이 서 있는 나를 발견하고는 다짐했다. 군인의 아내가 되려면 기다림에 익숙해져야 된다고. 이 정도는 아무것도 아니라고, 스스로 나를 위로하고 또 위로했다. 사실 무척 속이 상했지만 겉으로는 아무렇지도 않은 척 의연해 했다.

지친 몸을 이끌고 집에 돌아와 보니 우체통에 편지가 와 있었다. 갑자기 작전이 생겨 외박을 못 나갈 수도 있으니 2시까지

도착하지 못하면 기다리지 말고 집에 가라는 내용이었다. 삐삐도 핸드폰도 없던 시절이었다. 서로 소식을 전할 방법이 없으니, 서로의 상황도 모른 채 속만 태우며 그리움만 깊어갔다. 이런 사건들이 종종 있었지만 그가 의도했던 일이 아니기에 남편에게는 불평조차 할 수 없었다. 그도 나처럼 속상해했기에, 우리는 깊은 상처를 사랑의 추억으로 묻어 버렸다.

군인들은 결혼을 일찍 한다. 연애를 유지하기에는 어려운 상황이 많이 생기기 때문이다. 졸업식 행사가 끝나고 결혼식을 올린 커플도 있었다. 남편 중대에는 화랑축제에 함께 참석해 결혼까지 골인한 부부가 다섯 쌍이 있다. 육사 근처 버스 정류장에서 만났다는 명숙이는 만날 때마다 웃는 모습이 예쁘고 상냥했는데, 오랜만에 마주하니 늙어가는 모습이 무척이나 품위 있고 아름다웠다. 내가 남편을 처음 만날 날 은수도 재근 씨를 처음 만났다. 신기하게도 우리들의 첫아이 생일도 같은 날이다. 은수 남편은 오랜 파병 생활을 하고도 지금까지 외국에서 일을 하고 있다.

졸업식이 끝나고 1호로 결혼한 영옥 씨는 총각들 밥도 많이 해줬다. 교육 기간 내내 총각 동기들은 집밥이 그리우면 언제나 웃는 얼굴로 맞아주는 그 집을 찾았다. 나도 남편 면회를 갔을 때 기다릴 장소가 마땅치 않아 신세를 진 적이 있다. 우리 중대에서 첫아이를 제일 먼저 낳았는데, 아들 이름이 화랑이다.

16중대의 생생하고 파릇파릇하던 젊은 생도들은 자신에게 맡겨진 임무를 무사히 수행하고 이제는 모두 전역했다. 전공을 살려 관련된 일을 하는 사람도 있고, 시골로 내려가 과수원을 일구는 동기도 있다. 다들 머리는 희끗희끗하지만 내 눈에는 투지와 열정적이던 생도 때 얼굴이 선하다.

반대한 결혼

시댁은 경상도 대구이다. 시댁에는 큰집과 합쳐 다섯 명의 아들이 있다. 그중 남편은 서열 네 번째다. 일 년 사이에 손위 동서가 두 명이나 결혼했지만, 눈치 없이 제일 먼저 결혼했다고 눈칫밥을 얼마나 주시는지 서러움을 말로 표현할 수 없었다. 시집가서 얼마 지나지 않아 큰집 제사가 있는 날이었다. 나는 시댁 어르신들에게 인사를 드릴 생각에 부풀어 시어머니를 따라나섰다.

내 생각과 달리 그곳에는 나보다 두세 달 차이로 늦게 결혼한 큰집 동서들이 미리 와 있었다. 두 동서는 서로 경쟁을 하듯 어른들에게 잘 보이려고 이것저것을 챙기며 하하 호호 어르신들 비위도 잘 맞춘다. 어른들도 갓 시집온 종갓집 큰며느리와 작은며느리를 한껏 치켜세워 준다. 내가 낄 자리는 어디에도 없었다. 큰집 제사에서 우리 시아버지의 서러움을 대물림이라도 하듯 나의 존재감은 어디에도 없었다.

제사 때 모인 친척 어르신께 인사드릴 생각만 하고 왔는데, 불편한 한복을 입고서 해야 할 부엌일은 무척 많았다. 모든 것들이 불편했다. 동서들은 미리 정보를 들었는지 긴 앞치마를 준비해 와서 한복 치마 매무새를 야무지게 하고 잘도 움직인다. 제사상을 물리니 남자들은 대청마루에서 상을 받고, 여자들은 부엌바닥에 밥상을 놓고 쭈그려 앉아 밥을 먹었다. 아! 이건 텔레비전에서만 본 광경이었다. 그날 나는 아무 말도, 아무것도 판단하지 못하는 사람이어야 했다.

문화 충격은 이것뿐만이 아니었다. 무엇을 하라고 시켰는데, 무슨 말을 하는지 사투리 덕에 알아들을 수 없었다. 고모부터 큰고모할머니까지 마을 사람들이 모두 친척들이었다. 남편이 육사 출신이니 영부인인 육영수 여사만큼이나 높은 기준으로 나를 평가하는지, 쳐다보는 눈들은 매섭기만 했다. 친정에서는 싹싹하고 무엇이든 똑 부러지게 잘하는 내가 이게 웬일인가? 하는 것마다 맹하고 어눌했다. 경상도 사투리는 서울 말씨와 사뭇 다르니, 싸우듯 야단치듯 무뚝뚝한 톤으로 말을 하면 듣는 나는 어느새 주눅이 들었다.

갓 시집온 두 동서는 뭐든 서슴없이 척척 해낸다. 새신랑들은 부엌에서 일하는 동서들에게서 시선을 떼지 않고 눈치를 살피며 응원을 보낸다. 그리고 슬그머니 큰어머니께 귀띔을 한다. 그러면 동서는 금세 큰어머니의 명령에 의해 일하는 장소가 편한 곳으로 바뀐다. 그들 사이에 끼어 있는 나는 이러나저러나 주눅이 들 수밖에 없었다. 내 옆에는 눈치를 살펴줄 남편도 없었고, 내 편을 들어줄 사람이라고는 무서운 시어머니뿐이었다. 눈치가 보여 화장실 갔다 오겠다는 말도 못하고 일만 했다.

참고로 그 많은 친척 중에 서울 사람과 결혼한 사람은 이제껏 한 명도 못 만나보았다. 남편의 고등학교 동창들 역시 서울에 있는 대학을 다녔어도 서울 애인을 만난 사람은 유일하게 남편뿐이다. 정말 특이했다. 경상도 문화를 처음 접한 나는 모든 것이 낯설었다.

남편은 집안의 자랑이었다. 착실한 모범생 그 자체였다. 시어머니는 아들이 결혼 외에 어느 것 하나 부모님 말씀을 거역하거나 실망시킨 적이 없었다고 한다. 실망시킨 단 한 번의 원인 제공을 한 것은 바로 나였다고 강조하신다. 그러니 내가 무얼 한들 예뻐 보이겠는가.

초등학교 선생님이었던 시어머니는 전근 다니는 곳마다 아들을 전학시켜 데리고 다녔다. 당신을 닮은 아들에게 남다른 애정이을 가지고 계셨다. 더구나 이 아들은 대학 입시 때 어려운 집안 형편을 감안하여 본인의 꿈을 포기하고 육사에 들어가 집안의 체면까지 세워준 아들이다. 아들은 시어머니의 자랑이었다. 그런데 졸업과 동시에 서울 아가씨를 데리고 와서 결혼을 한다고 했다. 시어머니는 서울 깍쟁이에게 홀린 것이라고 생각하셨다. 결혼을 반대한 첫 번째 이유는 내가 서울 아가씨였기 때문이었다.

시부모님은 무조건 내가 싫은 모양이지만, 생각해 보면 그 당시에는 며느릿감으로 어느 여자가 와도 반대하셨을 것이다. 시어머니에게 며느리란 아들을 빼앗아가는 경쟁자에 불과한 것 같았다. 그 시절에는 아들 선호 사상이 강했다. 지금은 딸이 있어야 힘이 나지만, 그때는 아들을 가진 엄마는 천하무적이었다. 아들은 엄마의 영원한 애인이고, 보수적인 남편에게 못받은 사랑을 아들에게 듬뿍 쏟아 붓는 것으로 대신하는 듯했다.

시댁 집안 사정은 제법 어려웠다. 그 와중에 장남인 형은 다니던 대학을 포기하고 과를 바꾸어 대학 입시를 다시 준비하고 있었다. 시어머니는 형이 결혼하기 전에는 우리 결혼은 못 시킨다고 못을 박으셨다. 동생이 먼저 결혼하면 장남인 형이 기가 죽을까봐 걱정되셨나 보다. 집안도 어려운데 결혼을 서두르는 우리에게 심기가 틀어지셔서 나중에는 동거를 하든 맘대로 하라고 하셨다.

동거란 말은 친정 부모님께는 모욕이었다. 친정에서 막내딸이 나는 어디에 내놓아도 빠지지 않는 사랑스러운 딸이었다. 이 사건을 기점으로 친정에서도 본격적으로 우리 결혼을 반대하기 시작했다. 우리는 더이상 발붙일 곳 없이 괴로운 시간을 보내야만 했다. 용기 없는 이 남자가 정말로 나를 사랑하는지 의심이 들기 시작했다.

하지만 이런 어리석은 감정 낭비를 오래 하지 않았다. 속은 타들어갔지만 남편의 형편을 살피며 위로하고 조용히 믿어주기로 했다. 그러면 그럴수록 친정에서는 이렇게 힘든 상황을 방치하고 있는 남편을 책임감 없는 사윗감으로 낙인찍고 있었다. 이럴 때는 어떤 변명도 필요 없었다. 감정이 앞서면 무슨 말을 해도 오해와 실망만을 안겨 줄 뿐이다. 위기가 닥칠수록 더 지혜로워져야 했다. 우리는 어른들의 얽힌 감정과 상황 속에서도 서로를 향해 신뢰의 줄을 더 단단히 조여매고 있었다.

대학을 졸업하고 어렵사리 꿈의 직장을 얻었다. 평생을 보장받을 수 있는 직장에 다니고 있었다. 하지만 시어머니는 결혼하려면 직장을 포기하라고 종용하셨다. 평생 당신은 일하느라 못 돌본 아들을 또 직장 다니는 며느리에게 맡길 수 없다고 하셨다. 남편은 바쁘신 시어머니 덕에 보살핌과 세심한 사랑은 받지 못한 것이 분명해 보였다. 고민스러웠지만 미련 없이 직장을 포기했다.

선전포고

남편은 더이상 방관하지 않고 시댁에 선전포고를 했다. 그리고 며칠 후 시댁으로부터 칠월 칠일 결혼 날짜와 사주단자를 보낸다는 전화가 왔다. 결혼식 날까지는 단 이십 일밖에 남지 않았다.

결혼식 일주일 전에 함잡이를 앞세우고 사주단자가 왔다. 남편 친구는 얼굴에 오징어 가면을 쓰고 있었다. '으지직' 박 깨는 소리와 "함 사세요!"하는 소리가 박자를 맞춘다. 함잡이는 친정 식구들이 놓은 돈 봉투를 밟고 한 걸음씩 집을 향해 걸어 들어왔다. 박을 깨는 것은 '살면서 모든 액운을 깨'라는 의미이다. 모처럼 잔치 분위기에 친정 식구와 친척들이 결혼에 대한 걱정을 다 잊고 함박웃음을 웃었다.

이때부터 모든 것이 번갯불에 콩 볶듯이 진행되었다. 나는 살얼음판을 걷는 것처럼 불안했지만 운명이 이끄는 대로 하나하나 처리해 나갔다. 그 당시 남편은 공수부대에서 중대장을 하고 있었기에 잦은 훈련으로 통화조차 어려웠다. 모든 건 시어머니가 결정하고, 친정에 명령하듯 통보하셨다. 결혼 전 친정과 시댁 사이에 오가는 모든 일들은 불편하고 어려운 일들뿐이었다. 이럴 때일수록 남편이 중간자 역할을 하며 바람막이를 해주어야 하는데, 남편은 이런 어려운 상황을 전혀 모르는 듯했다. 남편은 남편대로 훈련으로 바빴고, 결혼식과 신혼 여행 휴가를 확보하기 위해 눈치도 봐야 하니 쉬운 것이 하나도 없었다.

살면서 어려운 일이 있을 때마다 매번 남편은 내 옆에 없었다. 모든 건 내가 알아서 수습하고 결정해야 했다. 두렵고 무서워 사방을 둘러봐도 남편은 보이지 않았다. 나를 왜 이토록 외롭게 만들었는지 한 번은 꼭 따지고 물어보고 싶었다.

친정엄마는 나와 이별의 아쉬움을 내색도 못하셨다. 내가 더 힘들어 할까봐 화가 나도 큰 소리 한번 내시지 않고 내 눈치를 살피셨다. 나는 맏이같이 주변을 살피고 잘 챙기는 막내였다. 나는 가족의 사랑을 넘치도록 받고 자랐다. 엄마는 "우리 막내는 말을 잘하니 국회의원이 될 꺼야."라고 하셨다. 이남이녀 중 똑 부러지는 막내였다. 부모님은 나를 자랑스럽게 여기셨다. 지금도 죄송한 것은 내 결혼으로 친정엄마에게 너무나 큰 실망과 안타까움을 드렸다는 것이다. 엄마는 임종 때까지 막내인 내 걱정만 하시다 돌아가셨다.

결혼 전날 친구와 함께 대구에 내려갔다. 결혼식 날 가장 예뻐야 하는 신부인데 드레스와 신부 화장이 어떻게 예약이 되었는지 나는 모른다. 인생에 단 한 번의 결혼식인데 말이다. 무사히 결혼식을 끝내는 것이 가장 중요했다. 그 외에는 아무런 관심도 없었다.

시댁에 들러 인사는 드려야 할 것 같았다. 호텔 방을 잡고 친구와 함께 시댁으로 갔다. 시댁 대문을 열고 들어가는 순간 대청마루에 앉아 있던 시아버지는 손에 잡히는 걸 나를 향해 집어던졌다. 무슨 연유인지 모른 채 너무 놀라고 수치스러웠다. 아마도 시어머니와 의견 충돌로 감정이 격한 순간에 내가 들어갔겠지만, 그 화근은 아마도 우리 결혼이 아니었을까.

예나 지금이나 대체로 나이 든 어른들은 감정 조절 없이 냅다 배설하듯 큰소리를 퍼붓는다. 그당시에 그런 행동은 장년의 특권인 양 정당화되기 일쑤였다. 시아버님은 삼년 전에 돌아가셨다. 살아계실 때 몇 번이고 그때 상황을 여쭤보고 싶었다. 그러나 시아버님은 모든 걸 잊으셨다. 나를 보면 미소도 지으셨다가 심기가 불편하시면 소리도 버럭 내시는 소심한 성격이셨다. 상처는 상처받은 사람만 기억한다. 상처를 준 사람은 쉽게 잊고 아무것도 기억하지 못한다.

그러니 내가 상처받았다고 그것을 오랜 세월 가슴에 끌어안고 있는 것은 어리석은 일이다. 결혼 전날 시댁에 같이 간 친구는 모든 광경을 보고 사색이 되어 놀란 얼굴로 나를 보며 "이 결혼 꼭 해야겠니?"라고 물었다. 하지만 나는 수모를 당한 채 아무 말 없이 인사만 하고 시댁을 뒤로 하고 호텔로 왔다.

도대체 나에게 왜 이런 일이 벌어지는지 이해할 수 없었다. 나는 순결하고 영혼이 맑은 청순한 여자아이였다. 그리고 제복 입은 남자를 사랑했다. 우리는 건강한 사랑을 했다. 우리에게도 몇 번의 이별의 고비가 있었지만, 환경과 상황 때문에 사랑을 포기하는 건 도저히 용납할 수 없었다. 상황이라는 것은 언제든 변할 수 있으니, 아쉬움이 남을 게 뻔한 인생을 선택하기 싫었던 것이다.

결혼식 날짜는 양력으로 칠월칠석 날이었다. 견우와 직녀가 만난 날 우리는 결혼식을 올렸다. 결혼한 지 벌써 사십 년이 다 되었다. 결혼기념일에는 어김없이 비가 왔다. 그날도 흐리더니 결혼식이 시작될 즈음 해서 비가 오기 시작했다.

드레스가 어떤 모양이었는지, 식장의 모습은 어떠했는지 기억나지 않는다. 나는 마음을 단단히 에워싼 갑옷을 입었다. 그 누구도 더이상 내게 상처를 주지 못했다. 나는 자신을 무장시켰다. 감정의 요동 없이 모든 식순이 흘러가길 바랐다. 시간은 흐르고 많은 사람들이 내 시야에서 사라졌다. 이제 모든 것이 끝났다. 이제 우리 둘만 남았다.

비가 많이 왔기에 신혼 여행지인 제주도를 향한 비행기는 뜨지 못했다. 우리는 수안보 온천에서 하룻밤을 묵기로 했다. 이제 누구의 방해도 없이 우리 둘만 남았다. 종일 참고 있던, 아니 어제부터 이를 꽉 물고 참았던 눈물이 하염없이 흘러 내렸다. 우리의 사랑을 너무도 큰 값을 치루고 얻었다. 그러니 앞으로 우리의 모든 순간들이 소중할 것이라 생각했다.

마음이 진정되자 신혼 여행 가방에서 한복을 꺼내어 입었다. 남편은 어리둥절한 표정이었다. 우리만의 의식을 하고 싶었다. 남편에게 절을 했다. 그것은 진실한 마음으로 남편을 지아비로 평생 존경하고 섬기고 사랑하겠노라 다짐하는 의식이었다. 유치했지만 나는 오래전부터 생각한 것이었다. 그날 밤 남편은 어떤 생각을 했는지 모르겠지만, 나는 그것으로 나 자신과의 약속을 독백처럼 남편에게 표현했다.

이튿날 제주도행 비행기를 타려고 공항으로 향했다. 비행기를 타려고 활주로를 걸을 때였다. 긴 활주로를 배경으로 한 우리의 시야 정면으로 쌍무지개가 너무도 선명하게 보였다. '우리의 무대가 이제 막 열렸구나.' 이제부터 모든 축복은 우리를 향해 있다. 우리의 사랑을 축복하듯 쌍무지개 사이로 비행기는 떠올랐다.

시집살이

신혼 여행을 다녀와서부터 나의 고된 시집살이는 본격적으로 시작되었다. 시어머니는 나를 길들이기 위해 한 달에 한 번 있는 제사 때 내려가면 보름 동안 시댁에서 지내게 하셨다. 시집살이는 두 살 아래인 시누이가 결혼하고 나서야 조금 누그러들었다. 그리고 나보다 여섯 살 아래지만 손윗동서인 형님이 시집온 후, 시어머니가 순진하고 진솔한 나의 진가를 깨닫기 시작하면서 시집살이는 조금 더 누그러들었다.

시댁에서 겪는 마음의 부담감을 남편은 알 리가 없다. 시댁에서 있었던 일들을 남편에게 시시콜콜 이야기해 본 적도 없었다. 결혼한 첫 달부터 시댁에 한 번 내려가면 열흘은 꼼짝없이 시집살이를 한다. 푸세식 화장실이 무서워 화장실도 못 가고, 음식 또한 내 입맛에 모두 짜게만 느껴졌다. 하나부터 열까지 모든 것에 눈치를 봐야 하니 매사가 힘들었다. 밤에도 편히 잠들지 못했다.

시어머니는 나를 길들인다고 하시지만, 길들여지기 전에 난 조금씩 죽어가는 것만 같았다. 제사를 치른 다음에도 하릴없이 시댁에서 지내는 게 숨이 막혔다. 남편에게 몰래 전화를 해 아내를 빨리 보내라고 보채도록 시켜 보았지만 시어머니에게는 통하지 않았다. 남편이 도대체 누구 편인지 의문이 생기기 시작했다.

시집오기 전 친정엄마는 시댁의 허점을 절대 얘기하지 말라고 하셨다. 팔은 안으로 굽으니 시댁 흉을 남편에게 절대 보지 말고, 남편 흉 또한 시댁에 가서 이야기하지 말라고 당부하셨다. 그래서 나는 평생 시댁에 남편의 단점을 이야기해 본 적이 없다. 그러니 당연 나는 백점 짜리 남편에게 사랑받으며 호강하는 며느리라고 생각하셨다. 나는 친정에 가서도 어머니가 걱정하실까봐 속상한 이야기를 하지 않았다.

남편은 시어머니께 마음이 상하는 이야기는 바쁘다는 핑계로 하지 않았다. 바쁜 남편 덕에 바람막이조차 없이 불편한 일은 모두 나 혼자 감당해야만 했다. 시어머니 역시 아들이 조금이라도 마음이 상할세라 아들에게는 이야기하지 않고 속상한 것을 모두 나에게 푸셨다. 결국 시어머니와 아들의 관계는 돈독하게 유지됐지만, 나는 불편한 세월을 보내야 했다. 이제와 아들을 장가보내고 보니 시어머니가 아들 생각하는 마음을 알겠지만, 그래도 며느리도 한 가족이요, 자식인데 왜 그리하셨는지….

명절 때마다 부대는 항상 비상근무이다. 남편은 항상 중요 보직을 맡았기에 부대를 지켰다. 남편은 가족과 함께 제대로 된 명절을 지낸 적이 없었다. 명절 때마다 남편 없이 어린 두 아이를 데리고 부대가 있는 골짜기에서 시댁까지 가는 건 굉장히 힘들었다. 명절 때 친척들이 모이면 겪는 스트레스 중의 하나는 조카들끼리 서로 비교된다는 것이다. 몸이 약한 아들과 똑똑하고 건강한 시누이의 아들은 은근한 비교 대상이었다. 당연한 자격지심이고 열등감이었지만, 명절에 남편도 없이 가는 시댁에서는 여러모로 기를 펴지 못했다.

결혼한 지 이십 년쯤 돼서야 처음으로 명절에 남편과 함께 시댁에 갈 수 있었다. 명절에 온 가족이 함께 시댁에 가는 게 이렇게 행복한 느낌인지 나이 쉰이 되서야 느꼈다. 어느 해인가 구정 때 서해안에 눈이 무척이나 많이 왔었다. 바닷가에 살아보니 겨울이면 유별나게 눈이 많이 온다. 시댁을 가려고 나섰지만 집 주변부터 눈이 무릎까지 쌓였다. 기차역까지 가는 도로조차 차량이 통제된 상태였다. 천재지변 때문에 도저히 시댁에 갈 수 없었다. 처음으로 명절에 결석한 사건이었다. 그런데 눈이 오지 않는 대구에서는 이 상황을 상상조차 못하고 있다. 설명을 해도 이해를 못하신다. 시아버지는 명절인데 안 온다고 역정부터 내셨다.

지나온 삶의 무게는 너무도 무거웠다. 어느 아낙네가 나만큼 힘들지 않은 삶을 살았겠는가. 누구나 자기 삶의 무게는 가장 무겁다. 이렇게 하소연할 수 있는 지면이 있어 고맙다. 이제껏 살면서 한 번도 내색하지 않고 꽁꽁 숨겨놓았던 외로움이 글을 쓰며 봇물 터지듯 뛰쳐나왔다. 참 잘 참아냈다. 어떻게 그 시절을 지내왔을까? 나의 삶은 외딴 무인도에 홀로 버려져 있는 것 같았다. 귀머거리, 벙어리, 장님으로 십 년씩 두 번을 살았다.

어느 날인가 시어머니는 내게 "참 열심히 살았구나!"하고 칭찬을 하셨다. 나는 이십 년 만에 처음으로 며느리로 인정받았다.

남자는 여성의 기준을 어머니의 삶에서 찾는 것 같다. 시어머니에게는 강인함이 있었다. 남편은 은연중에 나에게도 어머니의 강인함이 있다고 생각하는 거 같았다. 강인함뿐 아니라 어머니의 장점을 여자라면 다 가지고 있다고 생각하는 거 같았다. 그러지 않고서야 나를 외딴섬에 혼자 서 있게 하지는 않았겠지.

시어머니는 나에게는 모질었지만 아들에게는 더할 나위 없이 훌륭하고 인자하셨고, 무엇이든 용납하는 모성애를 지니신 분이다. 어머니와 자식은 그런 관계이다. 남편이 시어머니로부터 정신적으로 독립하기까지 오랜 시간이 필요했다. 나는 남편을 시어머니 편이 아닌 나의 편으로 만들고 싶었다. 그래서 나는 남편에게 사랑과 끝없는 신뢰를 주었다. 지금은 남편은 내 편이다. 그리고 시어머니 편이다. 올해 아흔 살이 되신 시어머니는 조금씩 기억이 오락가락하신다. 어느 때는 하루에 몇 번씩 전화를 하셔서 남편에게 했던 말을 계속 반복해서 하신다. 별로 자상하지 않은 남편이지만 이런 어머니의 말동무를 자청해 다 받아준다. 시어머니가 아들이라면 꺼뻑하셨듯이 이제 늙은 아들은 더 노약한 어머니에게 다정한 애인이 되어드린다.

지금 시어머니는 딸보다 나를 더 의지하시고 좋아하신다. 나에게 신혼 때 일을 사과하셨지만, 나에게는 아직도 아픈 상처로 남아 있다. 이글을 쓰면서 잊고 있었던 지난 일을 생각해 내니 마음이 쓰려온다. 나는 시댁을 제외하면 다른 관계 속에서는 미움을 받아본 기억이 별로 없다. 나는 그때나 지금이나 변함없이 진실되고 착한 며느리였는데 말이다.

시어머니는 큰집 어머니보다 사범학교 선배셨다. 시어머니의 친정은 유복한 한학자 집안이라고 했다. 시아버님도 교직 생활을 하시다 사업을 하겠다고 학교를 그만두셨고, 사업은 순탄치 않아 시어머니가 평생 생계를 위해 일하셨다. 시아버지는 부잣집의 서자셨다. 어릴 적부터 눈칫밥을 먹고 설움 속에서 크셨다.

시아버지의 힘든 과거는 시어머니에게 고스란히 상처로 흘러들어갔다. 결혼을 통해 부부는 한 사람이 겪어온 아픔이 고스란히 다른 한 사람에게 그대로 체화된다. 그리고 시어머니가 겪은 시집살이는 학습되어 소리도 없이 대물림하듯 나에게 전해졌다.

불쌍한 우리네 어머니들은 이것이 상처뿐인 대물림인지도 모른 채 사셨다. 뒤돌아 볼 여유도 없이 삶은 힘들었다. 시어머니와 나를 연결하는 고리는 이미 시작부터 시퍼렇게 멍들어 있었다. 나는 멍든 대물림 고리를 과감히 끊었다. 그리고 나와 며늘아기 지선이의 연결 고리는 아름다운 장식으로 대신해 엮었다. 소통과 사랑으로, 이해와 존중으로 한 땀 한 땀 엮었다.

지나온 시간들을 생각하면 안타깝고 마음이 저리다. 그때는 어찌해야 할지 몰랐다. 우산도 없이 오는 비를 몽땅 다 맞았다. 이 글을 쓰며 외로웠던 나를 다시 만나 위로했다. 모든 것이 지나가서 다행이다. 그리고 무사히 살아서 옛날을 추억할 수 있으니 감사하다.

오늘은 시어머니께 전화해 사랑한다고 말씀드려야겠다.

제2부

군인의 아내로
사는 법 1

기다림과 출산

살면서 남편에게 서운한 일이 한두 가지가 아니었지만, 아이 낳을 때를 제일 잊을 수가 없다. 첫출산 때 남편은 공수부대 훈련 중이었다. 미리부터 분만 당일 남편이 못 올 수도 있다고 생각했었다. 어쩔 수 없다고 나를 위로했지만, 막상 진통이 시작되어 신랑도 없이 분만실에 홀로 있는 나 자신을 생각하니 서운함이 밀려왔다. 진통하는 가운데서도 진통이 잠시 멈추면 출입구 쪽을 쳐다보며 간호사에게 혹시나 남편이 왔는지 확인을 부탁하기도 했다.

남편이 산부인과 회복실에 나타난 것은 아기를 낳은 다음 날이었다. 남편은 훈련 때 얼굴에 바르는 시커먼 위장 크림을 다 지우지도 않고 땀 냄새에 찌든 군복 차림으로 나타났다. 남편은 훈련에서 복귀하자마자 소식을 듣고 급하게 달려온 게 분명했다. 며칠 밤을 새며 훈련을 했는지 피곤함이 얼굴에 역력했다.

남편을 보니 늦게 온 서운함은 순간 다 사라졌다. 갓 태어난 아들을 보고 온 남편을 보니 안쓰러운 마음에 얼른 쉬게 해주고 싶었다. 방안에는 내가 누워 있던 침대와 창가 쪽에 보조 침대가 놓여 있었다. 남편이 '얼마나 피곤했을까!' 하는 생각이 들자마자, 나도 모르게 누워 있던 잠자리를 내어주었다. 남편은 눕자마자 그대로 깊은 잠에 곯아 떨어졌다. 남편 옆에 누워볼까 했지만 너무 좁아서 두 사람은 도저히 누울 수가 없었다.

할 수 없이 창가 아래 보조 침대에 누웠다. 창틈으로 매서운 찬바람이 쌩쌩 들어왔지만 저리 곤하게 자는 남편을 어찌할 수가 없었다. 그날 밤 출산한 지 하루밖에 안 된 산모는 창틈으로 들어오는 매서운 바람을 벌어진 뼛속으로 그대로 다 받으며 보조 침대에서 잠이 들었다. 그날 이후 한여름에도 뼈가 시려워 선풍기 바람조차 쐬지 못하는 산후풍으로 오랫동안 고생을 했다.

첫 출산 이야기를 하고 나니 첫아이 생긴 날이 생각난다. 신혼 때 일이다. 그때 남편은 천리행군 중이었다. 공수부대는 한 달 중 보름 이상이 훈련이어서 남편이 없을 때는 친정이나 시댁에 가 있는 날이 많았다. 그리고 부대 복귀하는 날에 맞춰 신혼집에 오곤 했다.

그날은 친정집에 가 있었다. 오늘밤 훈련이 끝나니 얼른 신혼집으로 내려오라는 전화였다. 긴급 출동하는 요원처럼 전화를 받자마자 미리 챙겨둔 찬거리와 부식을 들고 쏜살같이 고속버스 터미널을 향했다. 고속버스를 타고 청주까지, 시외버스를 갈아타고 증평까지 한걸음에 달려왔다.

부지런히 출발한다고 했는데도 증평에 도착하니 어둑어둑한 저녁이 되었다. 시골에서 살아본 적이 없는 내게 컴컴한 시골 밤길은 너무도 낯설었다. 우리 신혼집은 언덕 위에 있었다. 짐을 들고 힘겹게 언덕을 간신히 올라왔다. 늦가을 계절 탓일까, 태풍이 오려나, 바람이 거세게 불면서 옥수수 밭에서 나는 소리는 소름이 돋듯 을씨년스러웠다.

우리가 처음 이 집을 얻을 때는 언덕 위의 하얀 집처럼 허허벌판이지만, 밭에는 더러 파릇파릇 푸성귀와 듬성듬성한 들꽃과 보랏빛 도라지꽃이 피어 그림같이 정취도 있다고 생각했다. 그런데 계절이 바뀌니 완전 다른 곳에 온 것 같았다. 분명 같은 곳인데 말이다.

불빛 하나 없는 언덕 위에 나 혼자 덩그러니 서 있었다. 바람이 불어 움직이는 옥수수대 사이로 누군가 불쑥 튀어나올 것 같았다. 달빛 하나 없는 어두운 밤 하늘 아래 사방을 둘러보아도 무성한 잡초더미뿐, 집으로 가는 길을 찾을 수가 없었다.

너무 무서워 남편이 온다고 하지만 않았다면 뒤돌아 언덕을 뛰어 내려가 친정집으로 되돌아가고 싶었다. 고된 훈련을 마치고 돌아올 신랑을 위해 방도 따뜻하게 지펴 놓고, 맛있는 저녁도 빨리 준비해야 된다는 생각에 이를 악물고 무릎까지 올라온 잡초를 밟아 길을 내며 간신히 집을 찾아 들어왔다.

그런데 열두 시가 되어도 신랑은 오지 않았다. 부대에 전화를 걸고 싶었지만 언덕을 내려가야 공중전화가 있었다. 간신히 집을 찾아왔는데, 다시 언덕을 내려가는 건 도저히 불가능한 일이었다. 대문 밖 옥수수대가 서로 부딪쳐 내는 스산한 소리, 아기 고양이가 배고파 우는 소리, 바람에 덜컹거리는 대문 소리까지…. 불은 지폈지만 아직 냉기가 가시지 않은 방에서 밥상을 차려놓고 무서워 떨며 신랑이 오기만 기다렸다.

깊은 밤이 지나고 새벽이 다가올 때쯤 무서움에 지쳐 깜빡 졸았다. 대문 두드리는 소리에 깜짝 놀라 뛰어나가 신랑을 맞이했다. 신랑은 군장을 메고 한 달 동안 걸어 오늘 자정이 되어서야 부대에 도착했단다. 늦은 복귀에 지친 부대원은 부대에서 자고 아침에 집으로 복귀하기로 되어 있었다. 하지만 내가 뻔히 기다리는 걸 아는 신랑은 그럴 수 없었다. 칠흑처럼 어두운 밤을 가르고 세 시간을 걸어 집으로 온 것이다.

이날을 잊을 수가 없다. 무서움도 남편을 위해 견딜 수 있었고, 남편 또한 나의 기다림을 알기에 지친 몸으로 달려왔다. 이것은 결혼한 지 얼마 되지 않은 우리의 절절한 신혼 이야기이다. 이날 밤 첫아이가 생겼다. 그러고는 아이를 낳는 날 남편은 또 나를 기다리게 했다.

둘째아이를 출산하던 날 남편은 역시나 지각했다. 진통이 시작되면서 남편에게 전화를 했다. 서울 병원까지 오려면 꽤 긴 시간이 걸리는 거리였다. 난 분만실에서 진통을 하면서도 신랑을 기다렸다. 그런데 아기를 다 낳을 때까지 남편은 나타나지 않았다. 아기를 낳은 후 부대에 전화를 하니 친한 후배가 전화를 받았다. 부대에서는 내 상황을 전혀 모르고 있는 눈치였다.

그 시절만 해도 아내가 아기를 낳는다고 군인인 아빠가 외박을 신청한다는 건 흔한 일은 아니었다. 더구나 경상도 사나이로서는 낯 뜨거운 일이었는지 모르지만, 서울이 고향인 나는 이런 남편을 도저히 이해할 수 없었다. 내가 전화를 한 덕에 남편은 외박을 받아 다음 날 나오긴 했지만, 이때의 서운함은 '그럴 수도 있겠지'하고 넘기기에는 너무나 큰 상처로 기억되는 일이다.

생판 남남이 서로 다른 문화적 배경에서 살다가 우연한 인연으로 만나 사랑을 했다. 기쁨과 감사로 시작한 임신에서부터 자녀 양육은 나에게는 매순간 체력의 한계를 극복하는 체험기였다. 결혼 후 주어진 아내라는 호칭에는 권리는 없고 책임과 의무만 주어졌다. 평범하지 않은 남편의 직업 덕에 우리 두 아들은 선택권도 없이 나와 같은 운명 공동체가 되었다. 나는 친정엄마가 나를 키웠듯 두 아들에게 사랑을 듬뿍 주며 잘 키우고 싶었다.

병영일기 1

    남편은 서해안 경비대대장으로 취임했다. 대대장은 지휘관의 꽃이라고 할 정도로 사병과 밀착된 생활을 한다. 이때 즈음해서 군인 가족이라면 누구나 남편과 떨어져 주말 부부를 해야 할지, 남편을 따라가야 할지 한 번 정도 심각한 고민을 한다. 아빠의 전근으로 인한 자녀의 전학 문제는 가족이 해결해야 할 큰 고민거리다. 1학년으로 입학한 지 얼마 안 되는 아들은 1학년 1학기 동안에만 두 번이나 전학을 하게 될 테니 고민이 이만저만이 아니었다.

    그뿐만 아니다. 나의 직장 문제도 마찬가지였다. 결혼 후 아이들을 돌보며 할 수 있는 직장을 얻은 지 얼마 안 되었는데 포기하기는 쉽지 않았다. 더구나 내가 지방으로 간다니 승진조건까지 제

시한다. 이번 기회를 놓치면 다시는 이런 좋은 직장을 얻기는 어려울 것이다. 나는 아들 전학 문제를 핑계 삼아서라도 친정 가까운 서울에 머물고 싶었다. 직장을 다니며 아이들에게도 좋은 환경에서 교육을 시키고 싶었다.

그러나 남편은 가족과 떨어지는 게 싫은가 보다. 대대장 때는 부대 안에 관사가 있어 온 가족이 아빠와 함께 지내는 시간이 많다. 그러니 자연스레 대대장 부인으로서 해야 할 일도, 역할도 많다. 어느 날 남편은 심각한 표정으로 가족이 함께 이사 가길 간곡히 부탁했다. 이런 가장의 부탁을 거절할 수 없었다.

우리는 얼마 전까지만 해도 한 공간에서 함께 하길 간절히 원했었다. 결혼한 군인들은 부대 안에 있는 관사나 가까운 곳에 산다. 5분대기 같이 비상이 걸리면 즉시 출동해야 하기 때문이다. 그러나 매일 바쁜 업무와 비상훈련 때문에 남편은 일주일에 한두 번밖엔 집에 들어오지 않았다. 어느 때는 집에 들러 속옷을 갈아입을 시간마저 아까워했다. 그런 날이면 아이들과 저녁을 일찍 챙겨먹고 속옷과 양말을 남편에게 전해주려고 부대에 갔다.

잠시나마 얼굴을 보며 안부를 묻는 짧은 시간이 우리 부부에게는 유일한 데이트 시간이기도 했다. 이렇게 잠깐의 만남으로도 서로에게 에너지를 줄 수 있었다. 나는 어떤 상황이라도 남편을 이해할 만큼 사랑하고 있었고, 서로에게 끝없는 신뢰를 주고 있었다.

부대 안에서 가족이 함께함으로써 남편은 더욱 힘을 내서 일할 수 있을 것이라는 생각이 들었다. 아들들이 아빠의 직업을 이해하고 부자 관계도 더욱 돈독해질 것 같았다. 가족이 함께하는 건 행복이다. 결국 남편을 위해 아이들과 병영생활을 함께하려고 남편 부임지로 따라가기로 결정했다.

새로 부임한 곳은 바닷가 가까이 있는 작은 마을이다. 관사는 부대 안에 있었다. 관사는 연병장 옆 마당이 넓은 집이다. 관사 옆 작은 오르막을 오르면 PX가 있다. 오르막이 끝날 때쯤 대대 건물이 딱 버티고 있다. 1층에는 부대 상황실 본부가 있고, 2층에는 내무반이 있다. 연병장의 중앙에는 사열대가 있는데, 이곳에 서 있으면 저 멀리 새파란 서해안이 보인다.

부대 입구에는 두 명의 사병들이 보초를 서는 위병소가 있다. 부대를 방문하거나 간부들이 지나갈 때마다 군인 아저씨들은 큰소리로 경례와 구령을 붙인다. 일이 있어 왕래할라치면 위병소 아저씨들을 매번 마주친다. 그때마다 경례를 하는 게 여간 미안하고 신경쓰이는 게 아니다. 집을 나설 때면 버릇처럼 위병소 아저씨들을 위해 미리 준비해 둔 간식을 가지고 나간다. 미안한 마음에 창문을 열어 통행료를 내듯 얼른 간식 봉지를 내민다. 출발하는 차 뒤로 들리는 구령 소리는 더욱 힘차다.

위병소 뒤에는 새로 지은 총각 숙소가 있다. 이곳을 지날 때마다 숙소의 휑한 창문이 신경쓰였다. 동대문시장에서 연두색 체크 무늬 천을 끊어 커튼을 만들어 창문에 달아주니, 총각 숙소가 훨씬 아늑하게 보였다. 숙소 옆길을 지나 언덕을 오르면 작은 부레옥잠이 가득한 정화 시설과 부대 식당과 작은 교회가 있다.

우리 가족이 사는 관사는 연병장 왼쪽 PX 앞에 있다. PX는 사병들과 간부 가족들을 위한 슈퍼 같은 매점이다. 문을 열면 한쪽 벽에 게임기가 있다. 가운데는 몇 개의 둥근 테이블과 의자도 있다. PX병이 서 있는 계산대 옆에 전자레인지가 있고, 진열대에는 가공 식품과 생필품, 과자, 음료수 등이 놓여있다.

관사 옆에 있는 PX는 자연스레 우리 두 아들의 놀이터가 되었다. 학교 갔다 오면 어느 새 아이들은 우리 집 강아지 보미와 이곳으로 뛰어간다. 그곳에는 동전을 넣으면 권투 경기를 할 수 있는 게임기가 있다. 둘째아들은 병사들 속에 끼어 게임하는 하는 걸 보는 것이 낙이다. 그러다 운이 좋아 게임하던 사병이 호출이라도 되

면 뛰어가는 사병 아저씨는
선심을 쓰듯 남은 게임을 아
들에게 넘긴다.

　사병 월급날이면 PX는
참새가 방앗간에 모이듯 만
원이다. 소대 모임, 동기 모
임 등 주말 점심 식사 시간
에는 부대 식당을 안 가고 다들 매점에 모여 빵과 과자로 배를 채
운다. 하지만 월급 받은 지 일주일만 지나면 매점은 예전의 평정을
찾는다.

　뜨거운 여름날 연병장에는 햇볕으로 그을린 상체를 드러낸
채 축구하는 사병들이 보인다. 수송부 사병들은 얼굴에 기름을 묻
힌 채 닦고 조이고 작업하느라 바쁘다. 수업이 없어 쉬는 날이면
사병들에게 간식을 만들어 날랐다. 이때를 위해 냉동실에서 꽝꽝
얼은 얼음덩이를 꺼내 미숫가루에 흑설탕을 듬뿍 넣어 휘휘 저어
연병장으로 위문을 간다. 땀방울이 송골송골 맺힌 얼굴에는 감사
의 미소가 가득하다.

　시내에 갔다 오는 길에 마주친 동네 할아버지가 경운기에 수
박을 한가득 싣고 가신다. 운이 좋게도 할아버지께서 수박을 떨이

로 주신다고 한다. 그날은 내무반 점호 전 사병들과 수박 파티를 했다. 사병들 덕분에 손이 크다고 동내에 소문이 났다. 사병들이 많으니 뭐든 듬뿍듬뿍 장을 봐야 한다.

관사에서는 토요일 저녁부터 커다란 대야에 빵 만들 재료를 반죽한다. 일요일 아침은 전 장병이 1인 1 종교 방침으로 종교 행사를 하는 날이다. 일요일 새벽까지 오븐에 구운 빵과 과자를 종교 행사장마다 나누어 준다. 성당과 절 그리고 교회로 부지런히 배달한다. 힘들지만 재료비만 들이면 부대 모든 사병에게 사랑이 담긴 간식을 줄 수 있다. 사병들도 으레 일요일이면 간식을 기다리는 눈치였다. 그러니 한 주도 거르지 않고 매주 열심히 빵을 구웠다.

병영일기 2

　부대에서 이등병은 막내이다. 논산훈련소에서 훈련을 갓 마친 신병들이 자대 배치를 받아 대대에 왔다. 신병들이 입은 군복은 어색하기만 하다. 뻣뻣한 모자는 남의 것을 빌린 것같이 안 어울린다. 그런데 신병에게는 특이하게 이름표 옆에 노란 스마일 배지가 달려 있다. 이것은 '나는 백일도 안 된 신병입니다.'라는 표시라고 한다.

　아기가 태어나서 백일만 무사히 넘기면 건강하게 잘 살 것 같은 믿음이 있듯이 군대 백일도 무사히 지나길 바라는 마음일 것이다. 아마도 군대 생활 중에 제일 어렵고 힘든 백일을 잘 봐주라는 의미의 표식인가보다.

부대에는 많은 사병과 간부들이 있다. 나에게는 군대에서 만나는 사병 한 명도 예사로이 보이지 않았다. 남자아이로 태어나 유아기와 아동기, 청소년기를 무사히 지나 몸과 마음이 건강한 청년으로 자라는 건 결코 쉬운 일이 아니다. 몸이 약한 아들이 있어서였을까. 군복 입은 청년을 보고 있으며 그들의 부모님의 노고가 느껴지는 듯했다. 누구인들 귀하지 않은 자식이 있겠는가. 청년 한 명 한 명은 세상만큼 귀한 존재이다.

매주 토요일 점심에는 부대에 입소한 신병들이 있는 분대원을 관사에 초대했다. 잔디밭에 커다란 평상을 깔아놓고 삼겹살 파티를 한다. 비록 한 끼지만 엄마가 차려준 것같이 정성껏 밥상을 준비했다. 밥을 먹으며 이런저런 이야기를 하다 보면 경직된 굳은 얼굴은 조금씩 펴지기 시작한다. 분대장과 분대원들에게 백일도 안 된 이병을 잘 보살펴 달라고 부탁하는 시간이기도 하다. 나는 신병들에게 든든한 백 그라운드가 되어주고 싶었다.

그때는 IMF 외환위기로 어려운 시기였다. 집집마다 우환도 사연도 많을 때였다. 그들은 남기고 온 가족들에게 어려운 집안 형편을 알면서도 어떤 도움도 줄 수 없음에 마음 아파했다. 그들은 부대 생활에 대한 두려움과 가정사의 근심으로 이중고를 겪고 있었다. 아버지의 사업 부도로 온 가족이 뿔뿔이 흩어져서 휴가를 나가야 하는데도 부모님이 계시는 주소를 모른다는 안타까운 이야기를 하며 눈시울을 붉히기도 했다.

매주 신병들 식사를 해주다 보니 웬만한 대대 병사의 얼굴을 다 알게 되었다. 지나가는 사병과 간부들을 마주치면 감기는 나았는지, 부모님 병환은 차도가 있으신지, 여자 친구와 화해는 했는지 소식이 궁금해진다. 그럴 때마다 안색과 표정을 살피며 조심스레 그들의 안부를 묻곤 했다. 젊은 그들은 낯선 곳에서 국방의 의무를 감당하며 책임감 있는 어른으로 거듭나고 있었다.

연합사에 근무할 때는 미군들의 잔디밭 파티 모습이 무척이나 부러웠다. 다행스럽게도 우리집에는 가든 파티를 하기 적당한 잔디밭이 있었다. 식탁 다리가 될 만한 기둥을 세우고 넓은 널빤지를 위에 덮으면 큰 식탁이 된다. 아쉬운 대로 커튼을 뜯어 식탁보로 씌운다. 서울에서 사온 화려한 냅킨과 촛대를 세우고 부대 뒷산에서 들꽃을 뜯어와 식탁 위를 장식한다. 그러면 디너 파티 기본 세팅 완료다.

어느 날 부대 간부 가족들과 티타임을 할 때였다. 식탁 위에 멋들어지게 레이스 식탁보를 씌우고 악세사리로 근사한 식탁을 꾸 몄다. 아끼는 찻잔을 내오고 구색을 맞춰 후식도 준비했다. 애써 그들에게 후한 접대를 하고 싶었다. 그런데 잠시 케이크와 디저트 를 가지러 간 사이 가족들은 테이블보가 더러워진다고 다 걷어버 린 것이 아닌가.

대부분 부대는 시골 외딴 곳에 있다. 신랑을 따라 부대로 이 사 온 아내들은 몇 해만 지나면 금세 시골 아낙네로 변한다. 그러 기에 우리 간부 가족들은 예쁜 냅킨 하나만으로도 호사를 누릴 수 있었다. 열악한 환경에서도 각자에게 맡겨진 일을 충성스럽게 해 내는 남편들과 옆에서 희생하는 아내들에게 우리 부부는 고급지고 멋스럽게 제대로 된 섬김과 응원을 보내고 싶었다.

바닷가 시골에는 어르신들이 많고, 부대에는 젊은이가 많다. 어르신들은 거리에서 지나치는 청년을 만나기도 어렵다. 어쩌다 버스 정류장에서 젊은 군인들만 보아도 "참 예쁘다."라고 하신다. 젊은이를 보기만 해도 친손자를 만난 것 같이 얼굴색이 환해진다. 도시로 공부하러 간 손자도, 군대 간 손자도 얼마나 보고 싶었겠 는가. 그래서 나는 정훈장교와 병사들로 구성된 중창단을 만들어 어르신들 위문 공연을 다니기로 했다. 마을 어르신들에게 잠시라도 기쁨을 주고 싶었다.

중창단을 모집하다 보니 성악 전공한 친구도 있는 반면, 노래를 전혀 안 해본 친구들도 있다. 우여곡절 끝에 가지각색의 친구들이 모여 중창단이 구성됐다. 휴가 때 사온 테이프에서 흘러나오는 노래를 듣고 연습을 했다. 리듬에 맞추어 율동도 만들었다. 그러고는 시골 교회 목사님들께 전화를 드려 반주자를 섭외했다. 중창단을 인솔하는 정훈장교가 집안 좋고 잘 생겼다는 소식은 삽시간에 퍼졌다. 그래서인지 여성 반주 지원자가 몰려 경쟁이 치열했다. 사실 정훈장교는 서울에 애인이 있었는데 말이다.

이처럼 동네에는 부대에 근무하는 총각 장교들의 인기가 꽤 많았다. 그만큼 좋은 조건의 남자를 시골에서 만나기 어려우니 "골대에 골키퍼 있다고 골 안 들어가냐?"며 동네 어르신들은 총각, 처녀들의 만남을 적극적으로 주선했다.

동네에서 사십 분쯤 차를 타고 시내로 나가면 읍내가 나온다. 그곳에서도 우리 부대를 주시하는 곳이 한 군데 있었다. 바로 산부인과 병원이었다. 노령 인구가 많은 시골에는 임산부를 만나기가 어렵다. 하지만 부대에는 하사관을 비롯해서 중대장까지 모두 이삼십 대이니 가족들은 거의 가임 여성들이다. 미처 생각하지 못한 사실이었다. 순간 초임 장교들의 생활을 돌아보지 못한 걸 반성했다.

결혼한 초임 장교들이 부임하면 집을 못 구해 고생하는 걸 익히 알고 있었다. 그들에게 맡겨진 임무와 책임은 과중하지만 처우는 너무도 미약했다. 아내의 임신과 출산과 양육 과정에서 부대의 열악함이 그대로 반영되기 때문이다. 부대에서 생활하는 이십 대의 젊은 청춘을 지켜주고 관리하는 간부들과 그 가족이 열악한 환경에 내몰리고 외면당하고 있지는 않은지 먼저 살아온 인생 선배로서 책임감을 느끼게 된다. 군 부대는 말할 나위 없이 건강한 집단이며, 나라의 기반이 될 인재들이 잠시 동안 모여 생활하는 곳이다. 국가와 사회에서도 이들의 생활에 더욱 관심을 가져주길 바란다.

훗날 중창단을 인솔하던 정훈장교와 반주자가 결혼했다는 소식이 들려왔다. 그리고 몇 해 전 우연히도 내가 부모 참관 수업을 하고 있는데, 선생님(학부모 아빠)의 얼굴이 낯이 익었다. 영화 감독을 꿈꾸던 정훈장교는 고등학교 윤리 선생이 되어 반주자를 꼭 닮은 딸의 바보 아빠가 되어 있었다. 다음 수업이 있어 긴 이야기를 나눌 수는 없었지만, 반주자인 아내는 초등학교 교사가 되었고, 중학생 아들과 늦둥이 딸을 두었다고 한다.

제복 입은 남편 덕분에 수많은 청년과 부대에서 오랜 시간

생활을 같이 했다. 얼굴 근육이 마비될 만큼 긴장된 이등병의 표정이 편안한 미소로 바뀌고, 몸에 맞지 않던 군복은 시간이 갈수록 빛이 바랬다. 촌스러운 주황색 운동복을 입은 사병들이 친근해지고 멋지게 느껴질 때면 제대할 때가 가까워지는 시기이다.

한 여름날 매미가 존재감을 과시하며 힘차게 부르짖을 수 있는 건 땅속에서 인고의 세월을 견뎌냈기 때문이다. 대부분의 젊은이들이 군에서 그런 시간을 보낸다. 나는 그들이 견디어낸 인내와 고뇌의 참모습을 보았다. 나라의 부름에 성실하게 의무와 책임을 다하고 멋진 어른으로 성장하는 걸 보았다. 제대를 앞둔 병장의 늠름한 모습에 매료되어 나도 모르게 인사를 꾸뻑 하기도 한다. 그러면 그들도 걸음을 멈추고 경례를 한다.

추운 겨울날 해안 초소 순찰을 마치고 돌아온 남편은 몹시도 피곤한 얼굴이다. 간신히 몇 시간 눈을 붙이고 새벽에 출근할 남편을 바라보며 "참으로 장하십니다! 당신은 나라를 위해 큰일을 하고 있어요."하고 격려해주고 싶다. 남편이 출근하고 조금 있으면 연병장에서 우렁차게 애국가가 울려 퍼진다. 그리고 잠시 침묵이 흐른 후 젊은이들의 함성 소리가 밤의 어둠을 가르고 새벽 빛을 재촉한다. 오늘도 여느 때와 같이 부대 장병들은 구호에 발을 맞추어 연병장을 힘차게 뛴다.

한 달이 멀다 하고 부끄러운 군 비리와 사고 소식이 뉴스에 보도된다. 소수 인원들의 비리가 묵묵히 일하는 다수를 모욕한다. 군은 우리들의 아버지의 군대이다. 그리고 남편과 우리 아들들의 군대이다. 군은 우리 모두의 것인데 뉴스에서 나오는 소리를 들으며 소외감을 느끼는 건 도대체 왜일까? 그런 질타를 받으면서도 그들은 반성한다. 그리고 더 강한 대한민국을 만들기 위해 맡겨진 임무를 말없이 해내고 있다.

위문 공연단

위문 공연단이라고 거창하게 모집을 했지만 정훈장교와 나의 승용차 두 대에 태울 수 있는 중창단 인원은 일곱 명이 다였다.

중창단으로 모인 사병들에게는 사연도 많았다. 착하고 항상 웃는 얼굴의 병장 재민이가 있었다. 중창단의 굳은 일을 도맡아 하면서도 불평 한마디 없는 재민이의 별명은 금복주였다. 제대를 앞두고 말년 휴가를 다녀와서 재민이가 나에게 조그만 선물을 내밀며 자신의 이야기를 했다. 재민이는 엄마와 단둘이 살았다. 재민이 어머니는 아들 학비와 생계를 위해 궂은일을 가리지 않고 하셨단다. 항상 불만이 많은 아들을 위해 새벽마다 기도를 하는 자상한 엄마였지만, 하나밖에 없는 아들은 어릴 적부터 청개구리같

이 못된 짓은 골라 하며 엄마 속을 무던히도 썩였단다.

　그러다 중창단에서 어르신들 위문을 다녀보니 자식을 사랑하며 걱정하는 어머니 마음을 알게 되었고, 어머니께 죄송한 마음이 들기 시작했다고 했다. 그동안 많은 생각과 반성을 하다가 이번 휴가 때 용기를 내서 엄마께 잘못을 빌고, 엄마에게 사랑한다는 말을 하고 왔다고, 재민이는 눈시울이 붉어지며 나에게 이야기해 주었다. 어느새 재민이는 부대에서 성장했고 어른이 되어 있었다.

　재형이는 일병으로 외박이 끝났는데도 부대에 복귀하지 않았다. 하루가 더 지나면 탈영 신고가 접수되고 헌병대의 수사가 시작된다. 재형이는 오래 사귄 여자친구 때문에 휴가가기 전 감정 기복이 심했었다. 미복귀 이틀째가 되니 부대에는 비상이 걸렸다. 외부 조사단까지 와 있는 상태라 부대는 어수선했다. 남편은 비상근무라 퇴근도 못하고 있었다.

　탈영 이틀째 한밤중에 일반 전화 벨소리가 울렸다. 늦은 시간에 울리는 벨소리에 깜짝 놀라 전화를 받았다. 탈영으로 신고된 재형이었다. 놀란 가슴에 아픈 곳은 없는지 안부를 간단히 묻고,

왜 안 들어왔는지 물어보았다. 역시나 여자친구 문제였다. 부대에서 친구와 친척들에게까지 전화가 걸려오니 그때서야 사태의 심각성을 느낀 모양이다.

재형이는 자기가 저지른 이 사태에 어떻게 대처해야 할지 모른 채 잔뜩 겁에 질려 있었다. 어떻게 우리집으로 전화할 생각을 했는지 물었다. 재형이는 걱정을 끼쳐 죄송하다며 대대장님은 비상이라 집에 안 계실 걸 예상하고, 내가 걱정을 하고 있을 게 마음이 쓰여 전화를 했다고 한다. 부대는 탈영으로 난리가 났는데 재형이의 천진난만한 소리에 어이는 없었지만 고마웠다.

재형이가 있는 곳의 전화 번호를 받아두고, 남편에게 전화를 걸어 상황을 이야기했다. 헌병대에 걸리면 곧바로 영창에 가게 된다고 한다. 그래서 최대한 몰래 부대에 들어와 자수를 해야 했다. 재형이는 날이 밝자 삼촌의 자동차 트렁크에 몸을 숨기고 부대에 들어와 자수를 했다. '재형이 구하기 게릴라 작전'의 성공으로 모두 안도의 한숨을 쉬었다. 그후 재형이는 다른 부대로 전출되었다. 병장을 달고 무사히 제대를 한 재형이가 신학교에 들어갔다는 소식이 전해졌다.

오래된 기억 속에 상병 영철이도 생각난다. 남편이 대대장으로 부임하고 정식 일호차 운전병을 뽑기까지 일주일 동안 일호차 운전을 한 인연으로 수송대 영철이를 알게 되었다. 참고로 일호차라고 하면 부대 지휘관 전용차를 운전하는 운전병을 말한다. 영철이 덕분에 우리 아이들의 두 번째로 좋아하는 놀이터는 수송부 정비소가 되었다. 영철이는 군대 오기 전 어려운 가정 형편 때문에 복학을 포기한 상태였다. 그래서인지 제대 후 진로에 대해 걱정을 많이 했다.

우리 아이들을 찾으러 부대 이곳저곳을 다니다 보니 수송부에서 가끔 영철이와 이야기할 기회가 있었다. 나는 영철이의 장래 계획을 응원하고 격려했다. 영철이는 나와 의논 끝에 일년 남짓 남은 병영 생활 동안 자동차 정비 관련 시험에 응시하고 탄탄한 정비 실력을 키우기로 했다. 다행히 수송관님은 실력이 좋으신 분이라 많은 걸 배울 수 있을 것 같았다. 수송부는 원래 군기가 센 곳이라지만, 우리 부대 수송부는 무사고 기록을 갱신하는 실력 있고 분위기 좋은 수송부였다.

가끔씩 수송부 간식을 챙겨 가면 영철이는 항상 열심이었다. 제대 후 영철이가 정비소에 취직했다는 소식을 수송관님들 통해 전해 들었다. 지금도 자동차 정비소에 가면 혹시나 아는 얼굴이 있는지 두리번거린다. 세월이 흘러 얼굴이 기억나지도 않을 텐데도 말이다.

일상에서 마주치는 열심히 사는 사오십 대 남성들을 보면 나도 모르게 이십 대에 군복을 입고 있는 모습을 투영하는 이상한 버릇이 생겼다. 몰라서 그렇지 거리에서 몇 명쯤은 스쳐 지나쳤을지도 모르는 그 시절 군복의 주인공들이 그립다. 이제는 같이 늙어가겠지만, 그들의 병영 생활은 한여름 밤의 매미처럼 화려하고 찬란했다.

부대에서 김장 담그기

11월이 되면 부대에서는 겨우내 먹을 김장을 담근다. 지금은 김치 공장에 주문해서 먹지만, 몇 해 전 만해도 부대 김장은 월동 준비 중 가장 큰 행사였다. 이때는 군인 가족의 도움을 받아 사병 아저씨들과 부대 김장을 함께했다. 여기서 군인 가족이란 군인을 남편으로 둔 부인을 말한다.

김장하는 날은 잔칫날 같다. 아침 일찍 서둘러 아이들을 학교에 보내고 새벽같이 출근한 남편의 부대에 있는 식당으로 군인 가족들이 속속 모인다. 이날은 갓 시집 온 박 중사 가족도, 서울서 직장 다니는 3중대장 가족도 모두 일년에 한 번뿐인 부대 행사에 모두 동참한다. 오랜만에 만난 반가운 얼굴에 안부를 물으며 입가에 미소가 가득하다.

김치 공장으로 변해버린 커다란 사병 식당에서 가족들은 나란히 의자에 앉아 도마 위에 무를 놓고 무채 썰기를 시작한다. 오전 내내 배추에 넣을 양념 속을 만든다. 아저씨들은 채친 무를 통에 담아 낑낑대며 옮긴다. 나머지 아저씨들은 장화를 신고 부삽으로 배추 속에 들어갈 양념을 버무린다. 처음 보는 광경에 우리는 모두 놀랐지만, 몇백 명이 먹을 김치를 다른 방법으로는 준비할 수 없을 것 같았다.

오전 내내 고생한 가족들을 위해 식당 조리병 아저씨들은 음식 솜씨를 뽐내며 정성껏 준비한 특별 메뉴를 내놓았다. 동태찌개와 삶은 돼지고기, 그리고 속이 노란 배추쌈이었다. 군인 가족들은 군인 아저씨들이 차려준 밥상을 받으며 신나게 박수를 쳤다.

마침 남편들도 점심 시간이라 식사를 하러 식당에 왔다. 남편들은 아내가 얼마나 힘들까 걱정하며 살짝 미소를 짓고 아내와 눈을 마주하면서 아내 옆자리를 찾아간다. 아내도 남편의 사랑을 놓칠세라 얼른 샛노란 배추 속을 뜯어 굴을 잔뜩 넣어 쌈을 싸 수줍어하며 남편의 입속에 살짝 넣어준다. 남편도 못 이기는 척 쌈을 한입 베어 문다. 하하 호호 부부가 나란히 앉아 즐겁게 수다를 덜며 점심을 먹었다.

일부의 아저씨들은 추운 밖에서 땅을 팠다. 그리고 커다란 통을 묻는다. 겨울 동안 김치를 저장할 준비를 하는 것이다. 배추 속을 넣은 김치는 리어카에 실려 땅속에 묻힌다. 일과 시간 안에 모든 일이 마무리되어야 하니 사병들 모두 손이 바빠진다. 주임 원사님과 식당 중사님의 일 지시가 일사불란하다. 그 명령에 가족도 사병도 손발이 척척 맞는다. 양념 속이 모자라 남은 절인 배추는 백김치로 소금만 뿌려진 채 땅속 깊이 묻혀 다음 해 봄날에 묵은지로 꺼내 먹는단다.

우리 부대에는 네 개의 중대가 있어 대대 김장이 끝나면 중대별 김장이 시작된다. 중대장 가족들은 갓 결혼해 일이 서툴지만, 상사 가족들은 경험도 나이도 많다. 부대일의 반은 가족의 몫이다. 일을 얼마나 잘하는지 모두 깜짝 놀라며, 젊은 가족들은 주눅도 들지만 사병을 위한 일이니 팔을 걷어붙이고 일손을 보탠다.

이렇게 대대와 네 개 중대 모두 다섯 번의 김장이 끝났다. 그러면 부대 김장 일을 도와준 고마운 가족을 나 몰라라 할 수 없어 돌아가며 집 김장을 도우러 간다. 내가 대대장 가족이 된 첫해에는 뼛골 빠지게 열 한 번의 김장을 했다. 정말 너무 힘들어 정작 우리집 김장은 한다는 소리도 못하고 아무도 모르게 혼자서 했다.

남편이 군대 생활을 하는 동안 매년 11월 중순 즈음 찬바람이 불기 시작하면 부대 김장 걱정에 은근히 겁이 나기도 했다. 그 덕분에 지금은 김장하는 건 껌이다. 혼자서 백 포기 정도는 거뜬히 해낸다. 그리고 어느 해부터인가 김장 김치를 공장에서 주문해서 먹는다는 소식과 함께 가족들이 김장하는 날 동원되는 일은 없어졌다. 지나고 보니 힘들었던 일들이 모두 아름다운 추억으로 변하니 세월은 마술과 같다.

연병장에서 시커먼 새벽을 깨우며 함성을 지르던 청년들은 지금 무엇을 하고 있을까? 그 당시 나의 나이는 사십대였다. 지금 그들은 그때의 내 나이가 되었고, 나는 중장년이 되었다. 그들은 군대를 떠난 후 연애도 하고 결혼을 해 한 가정의 가장이 되었겠지. 사회의 일원으로 맡겨진 일을 열심히 하고 있으리라 생각된다. 그때 그 청년들이 모두 건강하게 잘 지내는지 궁금하다. 다들 행복하라고 응원을 보낸다.

생명수당

우리의 신혼 살림은 공수부대에서 시작됐다. 첫 면회를 가니 부대 정문에 "안 되면 되게 하라!"라고 쓰여 있었다. 겁은 났지만 남편이 '이제 진짜 군인이 되었구나'하는 생각이 들었다. 특수부대 대원들은 인원은 얼마 안 되지만 노련하고 경험도 많은 부사관들이다. 매일 반복되는 훈련과 측정은 중대장과 중대원 구별 없이 똑같이 실시된다. 중대장이 대원보다 체력이 떨어진다면 지휘관으로 능력을 발휘할 수 없으니, 공수부대는 계급보다 힘의 논리가 더 먹히는 곳이다.

다행스럽게도 남편은 어릴 적 야구선수 생활로 다져진 체력이라 대원들에게 밀리지 않았다. 공수부대는 생명수당을 받는 만큼 훈련이 위험하다. 공수 낙하 훈련을 하고 다음 날이면 부대 여기저기서 목발을 짚고 다니는 간부들이 눈에 띈다. 목발뿐 아니라 목을 다쳐 척추 마비가 올 수도 있다. 그러니 낙하하는 아침에는 남편이 가장 마음 편한 상태를 유지하도록 노력해야 한다.

　1년에 여름과 겨울 두 차례 천리 행군 훈련을 했다. 천리면 400km다. 한 달 동안 전국의 산으로 다니는 훈련이다. 군장에는 최소의 비상식량만 가지고 출발한다. 그리고 먹을 것이 떨어지면 산속에서 먹을 것을 직접 찾아야 한다. 뱀, 개구리, 풀 등 먹을 수 있는 건 뭐든 다 먹는다고 한다. 전쟁이 나면 공수부대가 제일 먼저 투입되어서 정찰대 임무를 수행하므로 그들은 살아남기 위한 극한의 훈련을 한다.

　행군에서 돌아오면 남편은 키가 1~2cm는 커진 것 같다. 발바닥에 높이 1cm 이상의 물집이 잡혀 있기 때문이다. 소독한 무명실을 바늘에 끼워 뒤꿈치에서 엄지쪽을 향해 몇 군데 구멍을 내서 실을 관통시켜 물을 빼낸다. 누런 물이 흘러나온다. 그러면 발바닥 살과 단단한 껍질 2개의 층으로 나눠진다. 물집을 터트리고 나면 그사이가 꾸득꾸득 마르는 데 2주 정도 걸린다. 그동안은 두 발이 지면에 닿으면 미끌거리며 통증이 발생한다. 그 덕에 열흘 정도는 절뚝거리며 걸어야 한다. 그러다 한 달쯤 되면 발바닥이 단단한 가죽을 씌운 곰발바닥 같이 된다. 딱딱해진 남편의 발을 보며 울기도 하고 웃기도 많이 했다.

남편이 훈련을 가거나 작전에 투입될 때마다 항상 두려움으로 마음을 졸이며 살았다. 남편의 딱딱해진 발바닥을 보며 습관이 하나 생겼다. 공수부대를 떠난 후에도 남편 발은 군화 탓인지 굳은살이 항상 박혀 있었다. 처음엔 안쓰러운 마음에 오일이나 크림을 바르며 발 마사지를 해주었다. 그리고 어느 때부터인가 남편의 딱딱한 발을 만지며 나는 묵시로 기도를 시작했다.

그 후로 삼십여 년 동안 남편의 발을 위한 기도는 계속되었다. 남편이 어디를 가든 발을 딛고 가는 길이 옳은 길이기를 간절히 바라며…. 거의 매일 밤 발을 만져주면 남편은 편안히 잠이 들곤 하였다. 어릴 적 엄마가 나에게 해주듯 기도하는 손은 마음까지 따스하게 했다. 내 엄지손가락 첫마디는 기형처럼 관절이 튀어나왔다. 나의 엄지손가락은 남편을 위한 기도의 흔적이다.

일 년에 두 차례 있는 동계와 하계 훈련은 어떤 상황에서도 불가능을 가능하게 하는 게릴라성 극기 훈련이다. 남편들이 훈련을 떠나는 날 아내들은 부대 연방장에 모여 남편에게 따뜻한 어묵국을 끓여 대접하고, 훈련 떠나는 뒷모습을 배웅한다. 그 다음 날부터 부대에는 경계를 위한 몇 명의 군인과 남편을 기다리는 아내, 그리고 그들의 자녀들만 남는다.

훈련 중에는 부대에도, 관사 아파트 주변에도 경건하고 깊은 정막만 흐른다. 아이들 뛰어노는 소리도, 어린아이 우는 소리도 이상하게 사라진다. 그리고 멀리서 교회 창문 사이로 새어나오는 불빛만이 부대의 어둠을 지킨다. 훈련이 끝나고 남편들이 돌아오면 부대도, 관사 주변도, 하다못해 부대 부식 가게(슈퍼)에도 다시 봄날 같이 생기가 돌아온다.

지네 소탕 작전

새로 이사한 부대는 만리포가 가까운 해안 경비 부대였다. 영화 속 한 장면 같이 푸른 바다와 태양 아래 떠 있는 하얀 요트를 상상했지만, 내가 본 바다는 어선이 들쭉날쭉 어수선하게 정박되어 있는 포구였다. 어선에서 흘러내린 기름 냄새와 뒤섞인 생선 비린내가 진동을 했다. 그래도 저 멀리 수평선에 배 한 척이 떠 있는 모습은 액자 속 바닷가의 풍경을 닮은 것 같았다. 멀리 보이는 산꼭대기에는 등대도 있었다.

작은 산 밑에 있는 부대에는 관사가 두 채 있었다. 그중 하나가 우리 집이다. 부대 안에 살면 남편이 집에 들어오지 않아도 같은 공간에 있다는 생각에 안심이 되었다. 이사를 하고 집 정리가 끝날 즈음 집 주변에서 다리가 많이 달린 빨간 지네가 눈에 띄었다. 낮에는 업무, 밤에는 해안 순찰을 돌기에 밤낮으로 바쁜 남편에게 지네 이야기를 꺼낼 틈이 없었다.

생각 끝에 약국과 농약사를 찾아다니며 지네 퇴치법을 물었다. 농약사에서는 지네 이야기를 꺼내자마자 부대가 있는 곳이 지네 산이라고 설명을 한다. 부대에 지네가 많다는 것을 이미 아는 눈치였다. 약국에서는 집 주변에 백반이나 소금을 뿌려놓으면 집으로 못 들어갈 것이라고 알려주었다. 약국에서 사온 백반 덩어리를 곱게 빻아서 집 주변을 파서 골고루 뿌리고 흙으로 덮었다.

그런데 다음 날 부대에 사건이 터졌다. 지네가 군화 속에 들어간 것도 모르고 군화를 신은 사병이 몸에 독이 퍼져 위험하다는 소리가 부대 전체에 퍼졌다. 우리 아이들은 아직 말귀도 알아듣지 못하는 두 살과 다섯 살이다. 눈만 뜨면 밖에 나가서 노는 두 아들의 엄마인 나는 그렇지 않아도 겁먹고 있었는데 완전 비상 상태가 되었다.

아이들은 마당에서 자전거를 타거나, 흙바닥에 앉아 땅을 파며 노는 게 일상이다. 나는 매 순간 아이들의 주변을 빠르게 눈으로 스캔한다. 혹여 내 눈에 지네가 보이는 날은 아이들을 꼼짝없이 집안에서만 놀아야 했다. 급한 마음에 집 주변에 백반 살포 작

업을 끝내고, 포대로 사온 소금을 주변에 다 뿌리고서야 조금 안심이 되었다.

남편이 못 들어오는 날이면 지네가 무서워서 날밤을 새우기가 일쑤였다. 마침 그날도 남편이 비상 근무라서 집에 없었다. 나도 낮에 소금 작업을 해서인지 피곤해서 일찍 잠이 들었다. 그런데 어디선가 사각사각 하는 소리에 깜짝 놀라 반사적으로 불을 켰다. 다리가 많이 달린 빨간 색의 기다란 지네 두 마리가 벽과 천장을 기어가고 있었다.

내가 불을 켜니 지네도 놀랐는지 천장에 있던 한 마리가 아이들이 자고 있는 이불 옆으로 툭 하고 떨어졌다. 나는 너무 놀라 아이가 누워 있는 이불을 한쪽으로 옮겨서 지네와 거리를 떨어뜨렸다. 벽을 기어오르는 지네마저 떨어질지 모르니, 나는 최대한 빨리 바닥에 떨어진 지네라도 처리해야 했다.

주변을 둘러봐도 지네를 처리할 무기가 없었다. 그때 현관 신발장에 있는 남편 군화가 생각났다. 군화는 무겁고 단단하니 밟으면 지네가 납작하게 질식사할 것 같은 생각이 들었다. 나는 얼른 남편 군화를 들고 와 신었다. 그리고 눈을 꼭 감고 온힘을 다해 지네를 꾹 밟았다. 잠시 후 발을 들어보니 지레는 멀쩡히 아이가 누워 있는 이불 쪽으로 기어가는 것이 아닌가.

정말 큰 일이다! 그때 낮에 땅을 파던 삽이 생각나서 밖에 나가서 가지고 왔다. 나는 남편 군화를 신고 한 손에는 삽을 들고 지네의 한가운데를 조준하며 위에서 힘껏 내리쳤다. 그런데 아뿔싸! 이게 웬일인가. 지네가 두 토막이 되어 양쪽으로 기어가는 게 아닌가. 아직도 벽을 오르는 한 마리가 있는데, 두 마리에서 이제는 세 마리가 되었다.

정신을 바짝 차렸다. 생각을 가다듬고 우선 목욕탕에 뜨거운 물을 틀어 물을 받기 시작했다. 그리고 얼른 고무장갑을 찾아서 손에 끼었다. 그리고 묵직한 유리 꽃병과 도자기 연필통을 갖고 왔다. 다행스럽게도 아이들은 깊은 잠을 자고 있었고 지네들은 속도를 못 내고 계속 기어가고 있었다. 나는 살금살금 다가가 묵직한 유리병으로 기어가는 지네를 덮쳤다. 그릇이 무겁지만 틈 사이로 빠져 나올지도 모른다. 서둘러 삽으로 꽃병 밑을 떠서 꽃병과 같이 뜨거운 물이 있는 목욕탕 속으로 지네를 빠뜨렸다. 한 마리, 두 마리 숨을 죽이고 물속에 빠뜨리니 지네는 아무 움직임도 없다. 빗자루로 벽을 기어가고 있는 한 마리마저 바닥에 떨어뜨려 목욕탕에 빠뜨렸다. 그렇게 한숨을 돌리니 훤하게 동이 트기 시작했다.

다행히 아들들은 세상 모르고 새근새근 잠을 자고 있었다. 아이들이 중간에 깨서 그 광경을 보았다면 얼마나 놀라고 무서웠을지 생각만 해도 아찔했다. 나는 그날 밤 투사처럼 나의 아이들을 지키는 데 성공했다.

조금 지나니 밤새 무슨 일이 있었는지도 모르는 남편은 아침 회의가 끝나고 옷을 갈아입으러 집에 왔다. 남편을 보았는데도 밤새 '지네 소탕 작전'으로 지쳐버린 나는 말할 기운도 없었다. 말없이 남편을 목욕탕으로 데리고 가서 둥둥 떠 있는 지네를 가리켰다. 물에 가라앉은 꽃병과 연필통을 보더니, 남편은 밤새 사건을 짐작이라도 하는 듯 내 머리를 쓰다듬으며 "수고했네!"하고 한마디한다.

사실 너무 무서워 밤에 몇 번이고 부대에 전화하고 싶었다. 남편을 찾아 도움을 요청할까도 생각했지만, 야간 해안 순찰로 피곤한 남편을 놀라게 할까 봐 간신히 참고 혼자서 해결한 것이다. 남편은 아무렇지도 않은 듯 목욕탕에 물만 빼주고 다시 출근했다.

며칠 후 옆집 관사에 친정할머니가 한 달간 손주를 봐주러 오셨다. 아침에 빨래를 널려고 마당에 나가보니 지네가 빨랫줄에 나란히 줄을 세워 매달려 있는 게 아닌가. 순간 얼마나 놀랐는지 모른다. 옆집 할머니는 지네가 신경통에 최고의 명약이라고 하시면서 연신 지네를 실로 묶고 계셨다. 지금도 가끔 장날에 시장에 가서 지네를 줄 묶음으로 파는 것을 보면, 그때 아이들을 지키려고 무서움을 무릅쓰고 지네와 사투를 벌인 일이 생각난다.

관사와 연막탄

전에 살던 집의 보일러는 기름 보일러였다. 이번에 이사 온 곳은 연탄 아궁이가 있는 관사이다. 이상하게도 이사할 때마다 연탄 집게를 사게 된다. 먼저 살던 곳은 필요 없어서 버리고, 다음 이사한 곳은 연탄 집게가 또 필요하게 되는 이상한 상황이 반복된다.

한여름 장마가 시작되면 집 안이 눅눅해진다. 비가 오는 동안이라도 불을 피우기 위해 읍내에 나가 연탄을 주문하고 연탄 집게와 번개탄도 사고, 급한 대로 옆집에서 연탄도 몇 장 빌려 왔다. 내일 배달되는 연탄을 받으려고 연탄 광을 깨끗이 청소하고, 아궁이 주변도 빗자루질을 하여 묵은 먼지를 털어냈다.

이사하고 나서 처음 불을 피우려니 주변 정리로 이것저것 할 일이 많았다. 아무래도 긴 장마가 시작되려나 보다. 습기도 많으니 몸까지 으슬으슬 추워졌다. 얼른 불을 피워야겠다는 생각에 아궁이를 열었다. 그런데 뚜껑을 여니 뭐가 움직이는 듯한 느낌에 깜짝 놀라서 뒷걸음질을 치다 부엌 바닥에 그냥 주저앉았다. 간신히 밖으로 뛰어나온 후, 후레쉬를 찾아들고 아궁이를 멀찌감치 비춰보았다. 잘은 모르겠지만 똬리를 틀고 있는 뱀인 것 같았다.

사실 그때까지 뱀을 실제로 본 적은 없었지만 직감적으로 뱀이라는 것을 알 수 있었다. 그날 놀란 가슴은 다음 날부터 시작된 장마철 내내 진정되지 않았고, 아궁이 근처에는 갈 수도 없었다. 그해 여름은 아궁이에 불 한번 지펴보지도 못하고 장마철을 넘겼다. 그 후에는 다행스럽게도 연탄불 아궁이가 있는 관사에는 살지 않았다. 어쩌다 부대원들이 이사를 해 기름 보일러가 아닌 연탄 아궁이 관사에 산다고 하면 이 에피소드를 들려주며, 아궁이를 조심히 열라고 충고한다.

남편은 한미연합사에 근무하고 우리집은 이태원에 있었다. 강남이 가까운 학군이라 중·고등학생이 있는 가족들은 어떻게 해서든 이곳에서 최대한 머물려고 했다. 그러니 아파트 순환이 안 되어 입주하려면 오래 기다려야 했다. 우리는 할 수 없이 오래된 곳이긴 하지만 가장 빨리 입주할 수 있는 아파트를 배정받았다. 여러 동이 있는 중에서 가장 오래되고 낡은 아파트였다.

이 아파트는 장롱을 세울 수도 없을 정도로 천장이 낮았다. 그래서 이곳으로 이사 오는 군인 가족들은 혼수로 갖고 다니던 이불장과 옷장이 붙은 장롱을 버리고 작은 간이옷장으로 바꿔야 했다. 나도 할 수 없이 장롱을 버리고 이사를 했다.

어느 날 먼저 이사 온 동기생 집에 놀러갔다. 안방을 열어보니, 안방에 기다란 장롱이 방 하나를 차지하고 뉘어져 있었다. 그 친구는 옷장이 아까워 도저히 버릴 수 없어서 이렇게 했다고 했다. 비록 나는 미리 정보를 듣고 장롱을 버리고 왔지만, 이 광경을 보니 웃을 수도 울 수도 없이 화가 났다. 이런 군인 가족의 애환을 그 누구에게 이야기를 할 수 있겠는가. 그 시절 이태원에서 같이 살아본 군인 가족들만이 겪은 비참한 이야기이다.

우리가 사는 집은 열악했지만 주말에 연합사에 놀러 가면 색다른 광경이 펼쳐졌다. 이곳은 마치 미국의 축소판 같았다. 그곳에 있는 호텔에서 식사를 하고, 문화 시설을 이용하고, 부대를 한 바퀴 돌다 보면 잔디가 있는 미군이 사는 관사들이 보인다. 눈으로 슬쩍 보기에도 우리가 사는 좁고 낮은 집과는 비교가 안 되는 환경이었다. 남편들은 상대적인 빈곤 속에서 미군들과 파트너가 되어 근무하고 있었다. 그럼에도 우리 가족은 좁은 집에서도 한쪽 방에서 과외까지 하면서 단란하게 살았다.

관사뿐 아니라 노후 된 아파트가 오래 비워져 있으면 문제가 많다. 서울 아파트로 이사를 왔을 때이다. 엘리베이터가 없는 5층 꼭대기 집이었다. 높은 곳이라 그런지 몇 개월 동안 아파트가 비어 있었다. 아파트나 관사가 오래 비어 있으면 바퀴벌레들의 아지트가 되는지 나는 전혀 몰랐다.

결혼 후 남편은 친정이 있는 서울로 발령을 받았다. 서울이라는 이유만으로도 이사는 설렜다. 5층을 오가며 이삿짐을 옮기고 대충 정리를 하고, 이부자리를 펴고 잠이 들었다. 그날도 남편은 새로 전근 온 부대에 적응하느라 야근을 했다. 낯선 집에서의 첫날은 문단속에 자꾸 신경 쓰였다.

깜빡 잠이 들었다가 현관문을 확인하려고 부엌으로 나와 불을 켜니 끔찍한 장면이 펼쳐졌다. 싱크대 주변으로 까만 벌레들이 잔치를 하듯 일사분란하게 움직이고 있었다. 그 자리에서 한 발자국도 움직이지 못했다. 불을 켜고 있으니 그 많던 벌레들은 모두 어디론가 사라졌다. 그날 이후 구석구석 어디든지 벌레가 숨어 있는 거 같았다. 나에게는 안전 지대란 없었다.

다음 날 밤새 궁리 끝에 아침에 무조건 아이들을 친정으로 보냈다. 어차피 이곳으로 이사를 왔으니 일 년은 족히 살아야 한다. 그렇게 하려면 하나하나 문제를 해결해야 했다. 서둘러 바퀴벌레 소탕 작전을 시작했다. 아파트 앞에 있는 슈퍼와 약국을 다니며 바퀴벌레를 어떻게 소탕해야 하는지 정보를 수집했고 곧바로 실행에 옮겼다.

그때까지만 해도 바퀴벌레 연막탄이 있는 줄 몰랐다. 연막탄을 피우고 서너 시간이 지나면 온 집안이 연기로 자욱하다. 그러면 구석구석 숨어 있던 벌레들이 다 밝은 곳으로 나와서 기절한다. 아이들과 남편이 퇴근하기 전까지 이 징그러운 것들을 빗자루로 쓸어 담고 걸레질을 하고 사방에 양초를 켜놓고 냄새를 없앴다. 그리고 냄새나는 몸을 깨끗이 씻고 아무 일도 없었던 것처럼 남편과 아이들을 맞이한다. 이 짓을 일주일에 한 번씩 몇 번을 반복하니 한밤 중에 나와 불을 켜도 벌레는 보이지 않았다. 이제껏 친정에도 시댁에도 친구에게도 이 창피한 이야기를 할 수가 없었다.

그 당시 나는 이런 일을 아무렇지도 않게 해낼 만큼 겁이 없거나 용감하지 않았다. 그러나 자녀들이 열악하고 무섭고 비위생적인 공간에 살게 할 수는 없었다. 이사할 때마다 내 아이들이 정서적으로 위축되고 불안해질까 봐 항상 조심스레 아이들을 살폈다.

바쁜 남편은 내가 바퀴벌레들의 한밤중 향연을 본 후 몇 날 며칠을 비위가 상해서 밥을 못 먹었는지 알지 못한다.

그 시절에는 끔찍했던 이야기를 지금은 쉽게 글로 쓸 수 있으니, 모든 게 아름다운 추억이 되었다. 어려운 형편 가운데 살아온 가족들이 어찌 나 혼자뿐이겠는가? 어쩌면 나보다도 더 힘든 이야기 보따리를 풀어낼 친구들도 많을 것이다. 어려움도 버티고 지나고 보니 그리운 지난 추억이 되었다.

스물세 번째 이사

우리 가족은 큰아들이 중학생이 되서야 고민 끝에 두 집 살림을 하기로 했다. 정착하기 전 이십 년 동안에 스물세 번의 이사를 했다. 어쩌다 주민등록초본을 떼려면 동사무소 직원이 한참 동안 인쇄되는 종이에 적힌 지난 주소를 보며 꼭 한 마디씩한다.

전출 명령이 떨어지면 남편은 이사할 관사가 배정되기도 전에 가족을 놔두고 새 부대로 먼저 갔다. 그러니 이삿짐을 싸는 일은 나의 몫이다. 새로운 관사로 이사한 날 짐 정리를 할 때면 남편은 업무 보고로 가장 바쁜 시기이다. 다른 남편들은 이사하려고 하루 외박을 내서라도 온다는데, 이 남자는 바빠도 너무 바쁜 남자였다.

군인들에게는 전출 명령이 떨어지는 시기가 있다. 그래서 모두 비슷한 시기에 이사를 한다. 진급 발표가 나면 한 달에도 여러 집이 이사를 오고가고 한다. 관사에 사는 비슷한 또래 엄마들은 금세 정이 든다. 모두 객지 생활로 어려움도 많고 외로우니 아이들을 내세워 친구가 된다. 그러나 얼마 지나지 않아 친구의 이사 소식이 들린다. 이사하는 날이면 새벽부터 대한통운 이삿짐 차에 짐을 싣고 떠나는 친구의 뒷모습을 보며 눈물도 많이 흘렸다.

이사하고 제일 먼저 할 일은 가스렌지 연결이다. 내 손으로 할 수는 없고 가스통 배달하는 아저씨를 불러야 한다. 냉장고도 금방 작동하기 어렵다. 그때는 110볼트에서 220볼트로 바뀔 때여서 서비스 기사가 와야만 냉장고나 세탁기 전압을 바꿀 수 있었다. 시내에서 떨어진 외딴 곳에 부대가 위치했기에, 기사가 오려면 이삼일씩 기다려야 한다. 이렇게 며칠이 지나야 가전 제품이 제대로 작동하게 된다. 그제서야 시장과 학교, 은행이 모여 있는 읍내에 나가는 버스 노선을 파악한다.

이사를 하는 가족들에게는 밑반찬 삼종 세트와 김치 한 통을 선물했었다. 아이들이 어리면 이사 후 식사 문제가 가장 난감하다. 이사하는 첫날은 짜장면으로 때우지만, 전자 제품이 작동 안 되면 학교 가는 아이들은 라면밖에 먹일 게 없다. 이사를 자주해 보니 국이 없어도 밥과 몇 가지 밑반찬만 있으면 식사를 해결할 수 있으니 이사 때 이것보다 좋은 선물은 없을 것 같았다.

다들 살림을 알뜰하게 할 때였다. 찬거리와 간식거리를 줄여야 그나마 생활비를 절약할 수 있었다. 다른 것은 도무지 줄일 곳이 없다. 그러니 가장 쉽고 저렴하게 구할 수 있는 재료를 선별해야 했다. 내가 주로 한 반찬은 멸치볶음, 깻잎절임, 무생채였다. 이사하는 이웃들을 위해 전날에 나의 특제 삼종 반찬 세트와 맛있게 갓 버무린 겉절이김치를 만든다. 그리고 보자기에 잘 싸서 밤에 적어 놓은 편지 한 통과 함께 이삿짐이 떠날 때 슬쩍 차에 실어주면 정성어린 이별 선물이 된다.

며칠이 지나면 떠난 이웃으로부터 반찬을 요긴하게 잘 먹었다는 전화가 오곤 했다. 언제 같이 살았는지 기억도 가물거리는 옛 부대 엄마들을 우연히 마주치면 고마웠던 이야기나 이사 전날 식사한 이야기를 종종 듣는 것을 보면 '먹는 것에서 정이 난다'는 말이 정말 맞는 것 같다.

군인 아파트에서는 이사 오고 가는 집을 위해 이웃집에서 순번을 정해 밥을 해주고 아이들도 돌봐주었다. 그래야 며칠 전부터 엄마들이 짐을 정리하며 짐을 쌀 수 있기 때문이다. 이사를 하는 날에는 이웃들도 새벽부터 부산스럽다. 짐을 싣는 동안 이사 갈

아이들의 아침밥도 챙겨주고, 짐을 싣는 것을 도와주려고 온 아저씨들 간식까지 챙기니 앞집도 옆집도 모두 바쁘다.

이렇게 떠나보내는 아쉬움도 잠시, 곧바로 도배하는 아저씨가 와서 한나절 동안 일을 한다. 어느 때는 풀이 다 마르기도 전에 새 가족이 이사를 온다. 이렇게 여러 집 오고가는 이사를 돕다 보면 어느새 내 차례가 된다. 전국 각지에서 모인 엄마들은 서로 이름도 모르지만 아름다운 품앗이로 아쉬움과 이사의 고됨을 위로했다.

이사할 집에 도착하면 현관으로 들어가 집 구조를 한눈에 살펴본다. 아저씨들 도움으로 짐을 내리는 동안 구조를 보고 가구를 어느 방에 넣을지 단 몇 분 만에 직감적으로 판단해야 한다. 사실 작은 것들이야 잘못 놓으면 이리저리 다시 옮겨도 되지만, 장롱만큼은 혼자 힘으로 옮기는 게 불가능하다. 그러니 순간의 잘못된 선택으로 이사 갈 때까지 후회와 불편함을 감수해야 할 때도 있었다.

이사를 하고 짐을 풀자마자 처음으로 찾게 되는 곳은 바로 철물점이다. 낯선 동네에서 철물점 찾기란 진짜 어려운 일이다. 나도 이사해서 바쁘지만 정신 없기는 남편도 마찬가지이다. 새 부대에 적응하는 남편도 자기 코가 석자인 것 같았다.

이삿짐이 트럭에서 내려지기 시작하면 무슨 수를 써서라도 밤에 아이들이 잘 수 있게 아이들 방이라도 먼저 정리해야 한다. 이삿짐을 풀어 정리할 때는 낯선 곳에서도 정서적으로 안심이 되도록 아이들 방을 제일 먼저 꾸민다. 그러려면 짐을 쌀 때도 아이들 물건들을 제일 나중에 실어 제일 먼저 꺼낼 수 있도록 해야 한다. 그다음 신경 쓰는 것은 남편이 책을 볼 수 있는 공간이다. 바빠서 집에 있는 시간이 별로 없었고, 집도 좁았지만 나는 늘 남편이 책을 볼 수 있는 공간을 만들었다. 남편이 자기만의 공간에서 생각하고 미래를 계획하며 성장하길 바라는 아내의 작은 선물이었다.

이사하기 전 한 번씩 동대문 옷감 시장에 가서 예쁜 천들을 샀다. 그리고 남대문 지하 도깨비 시장에 가서 향신료와 치즈 별미 디저트를 사고 냅킨과 장식용품을 샀다. 그리고 전철을 타고 강남 꽃시장으로 가서 레이스 테이프와 장식용 꽃가지를 샀다. 이것들만 있으면 어디로 이사하든지 그럴싸하게 분위기 있는 집을 꾸밀 수 있다.

짐을 정리한 후에 같이 근무하는 부대원들을 초대했다. 그다음에는 집밥이 그리운 총각 후배들을 초대한다. 집들이는 무언의 신고식이었다. 남편에게는 이런 가정이 있으니 남편에게 함부로 하지 말라는 일종의 메시지다. 이사를 할 때마다 집들이도 계속했다.

군대 생활에서 잦은 이동은 우리 가족 모두에게 힘든 일이었다. 군인은 명령에 살고 명령에 죽는 집단이다. 군인인 남편들은 명예로 사는 사람이니 묵묵히 명령하는 대로 나라를 지키는 충직한 사람이다. 그러나 국가에서 무상으로 대여해 준다는 이유로 다음 세대의 군인 아내와 자녀들의 문화적 자존심이 바닥에 떨어지는 일이 없었으면 좋겠다.

제3부

군인의 아내로
사는 법 2

이사 검열

이사를 하면 제일 먼저 치르는 것이 집들이 행사다. 시댁 어른은 남편이 전출 온 부대도 궁금하고 이사한 집도 궁금하시니 이사를 하자마자 찾아오신다. 짐 정리를 미처 다하기도 전에 시부모님이 집을 방문하시니 이사하는 날부터 초긴장 상태로 짐 정리를 서둘러야 했다.

이사 후 시부모님 방문은 내게는 최고 수위의 검열이었다. 읍내 지리도 아직 파악하지 못한 상황이다. 시장 어디에서 무엇을 파는지도 모른 채 장을 봐야 하니 정말 정신이 하나도 없는 첫 집들이다. 시부모님은 그저 전국 유람을 하시듯 우리가 이사를 하는 곳마다 매달 한 번씩 정기적으로 방문하셨다.

시부모님이 오신다고 하면 제일 먼저 색다른 메뉴로 네 끼의 식사거리를 준비한다. 시부모님은 토요일 저녁에 도착하시고 일요일 이른 저녁을 드시고 돌아가신다. 나는 도착할 시간에 맞추어 따끈한 저녁상을 차린다.

도착하시자마자 보글보글 끓는 찌개를 밥상에 올리면 식사가 시작된다. 두런두런 이야기를 나누며 식사를 마치시면 부대가 있는 주변을 한 바퀴 산책하신다. 아들이 장교라는 것이 자랑스러운 부모님은 새로 전근 온 부대에 대한 이야기를 들으시는 것을 좋아하신다.

하룻밤을 주무시고 다음 날 새벽같이 남편과 주변에 있는 산행을 하신다. 아침 산책을 다녀오신 부모님이 시장하실까 봐 나는 새벽부터 부지런히 아침상을 준비한다. 아침 식사가 끝나자마자 다시 점심상을 준비하고, 메뉴를 바꾸어 차려드린 저녁을 드시고 서야 시부모님은 집을 나서신다.

어르신들은 며느리가 정성껏 차려주는 밥상이 그리 좋으셨나 보다. 말은 없으셔도 좋아하시는 눈치라 말없이 조금의 빈틈없이 완벽하게 보이고 싶어 애를 쓰며 최선을 다했다.

두 번째로 준비하는 것은 편안한 잠자리를 위한 이불 손질이었다. 손님이 오신다고 하면 풀을 빳빳하게 먹인 이불 호청을 다

듬이질해서 가시는 친정엄마를 보아 왔었다. 나 역시 어릴 적 빳빳하게 풀이 먹여져서 이불 속에 누워서 움직일 때마다 사각사각하는 소리가 나는 새하얀 이부자리에서 자는 것을 좋아했기에 집에 손님이 오신다고 하면 두 번째로 이불을 손질한다.

시부모님이 오신다고 하면 사랑을 담아 공경하는 마음으로 준비했다. 반찬 하나 하나 시어머니 눈에 거스르지 않도록 매사 조심스럽게 정성을 다했다. 시부모님의 자식 사랑은 항상 크셨기에, 당신의 아들과 손자들이 이사한 곳에서 얼마나 잘 지내는지 며느리가 어떻게 돌보는지 궁금하셨겠지만, 나도 낯선 곳에서 적응하기까지는 얼마간의 시간이 필요했다. 내게는 매번 집들이가 긴장되고 부담되었다.

자주하는 이사로 어려운 여건이지만 우리 가족이 불편을 느끼지 않도록 아늑한 집으로 꾸몄다. 하지만 부모님은 이사할 때마다 살림이 늘었는지 점검하시고는 정착할 때까지는 살림을 늘리지 말라고 이사할 때마다 말씀하셨다. 나는 이런 말씀이 정말 서운했다.

군대 생활할 동안은 떠돌이 생활을 할 수밖에 없는 우리 가족이었다. 이사하기 힘들다는 전제가 붙기는 했지만, 매번 불편한 떠돌이 살림살이로 피난민같이 살라는 말씀이신지 정말 속이 상했다. 그러나 시부모님 앞에서 이런 속상함을 한 번도 입 밖으로 내보이지 않았다. 그저 말없이 내가 드릴 수 있는 사랑을 최선을 다해 마음과 정성으로 다할 뿐이었다. 시부모님의 방문은 신혼 초부터 아버님이 요양원에 들어가시기 몇 해 전까지 계속되었다.

간절함은 원동력

임관 후 전방 소대장으로 간 남편은 아침 조회 시간마다 소대원들에게 좋은 글을 들려주었다. 남편은 좋은 글이 있으면 모아서 정리해 달라고 나에게 부탁했다. 시간을 내어 서점을 다니며 책을 사서 읽어보고, 청년들에게 유익한 글이 있으면 형광펜으로 줄을 그어 정리해서 주었다. 남편이 준비된 훌륭한 지도자가 되려면 전술뿐 아니라 인문, 역사 전반의 소양을 갖추어야 한다고 생각하니 남편에게 보내줄 책이 점점 늘어났다.

그러던 중 우연히 부대 교본을 보고 깜짝 놀랐다. 설명이 너무 간단하고 단순했다. 마치 초등학교 교과서를 보는 거 같았다. 학력이 다른 사병들을 똑같이 이해시켜야 하니 당연히 설명이 쉬워야겠지만, 남편이 보통보다 낮은 수준에서 생각하고 말을 한다고 생각하니 걱정이 되었다. 이러다 남편의 사고 영역이 단순한 상태로 고착될 것만 같았다.

그때 즈음 동기생들은 임관 후 발 빠르게 교육 혜택들을 찾아 군사 영어 학교, 유학 시험, 국비로 일반 대학원에 다니기 시작했다. 그러나 남편은 부대 일에만 집중했다. 사실 그때는 야전부대가 아닌 교육기관에 적을 두고 있으면 군인의 임무에 충실하지 않고 외도한다는 생각을 많이들 했다. 그러나 교육의 혜택을 한 번이라도 받은 장교들은 계속 또 다른 위탁 교육을 찾아다니며 혜택들을 누리고 있었다.

남편과 나는 생각이 달랐다. 남편에게는 교육을 통해 새로운 사고의 확장이 필요했다. 우리나라의 군대는 6.25전쟁 시에 형성된 체계이기에 군은 새로운 시스템으로 변해야 한다고 생각했고, 새로운 변화를 일으킬 교육받은 인재들이 많이 필요하게 될 것이라 예측했다.

소극적이고 보수적인 남편에게는 교육의 필요성을 느낄 자극점이 필요했다. 하지만 남편은 하루를 성실하게 맡겨진 임무를 다 하고 있을 뿐, 먼 곳을 바라보지 못했다. 안타깝게도 남편이 지금 최선을 다하고 있는 일은 누구라도 할 수 있는 일이었다. 그랬기에 어떻게 해서라도 대학원을 진학시켜야 했다. 부대의 과중한 업무로 하루 일이 하루에 끝나지 않아 야근을 밥먹듯이 하는데, 여기에 야간 대학원을 가라고 하면 분명 남편은 질색을 할 것이다. 그러나 포기할 수 없었다. 애원하듯 대학원의 필요성을 남편에게 역설하며 끝내는 내가 가서 무조건 원서를 접수했다.

그러나 면접보는 날 부대 업무가 바빠서 끝내 상관에게 외출 신청도 못하고 면접을 보지 못했다. 다음 해에는 면접을 보고서 등록금까지 냈지만, 수업에 맞춰 학교 가는 것이 불가능했다. 남편은 끝내 자퇴를 했다. 바쁜 것을 이해하면서도 남편에게 실망스러웠다.

그래도 남편에게는 믿음직한 구석이 있었다. '이것이다!'라고 생각이 들면 무조건 시작한다. 그리고 문제가 생기면 하나하나 차근차근 해결해 나간다. 남편은 나와는 반대이다. 시작하기 전에 신중하게 오래 고민하고, 끝맺음은 빠르고 깔끔하다. 마치 완벽하게 준비하고 때를 기다리는 것 같았다. 내가 항상 아쉬워하는 이유는 남편이 조금만 욕심을 내면 빠르게 더 많은 것을 얻을 수 있을 것만 같았기 때문이다.

내 생각으로는 매일 쳇바퀴같이 바쁘게 움직이는 업무에 최선을 다하는 것보다, 진급을 위해서라도 스펙을 쌓아 좋은 보직을 노렸으면 좋겠는데 남편은 옆으로 눈을 돌릴 생각이 전혀 없었다. 남편은 절대 과한 욕심도 무리수도 쓰지 않았다. 처음에는 기회를 놓치는 남편이 답답했지만, 지나고 보면 남편이 선택한 길이 옳았다고 생각이 들 때도 많았다.

그러던 중 선배 사모님에게 군사 영어 학교 입교에 대한 정보를 들었다. 남편 기수에게는 이번 기회가 마지막이 될지도 모른다고 한다. 남편에게 영어 학교에 원서를 넣기를 부탁했다. 남편도 임관 후 영어 학교에 들어가고 싶었지만, 보직 때문에 시험 볼 기회를 매년 놓쳤다. 이걸 아는 나는 마지막 기회를 절대 놓칠 수는 없었다. 남편에게 떼를 쓰며 시험 보기를 청했다.

대학원을 포기한 경력이 있는 남편은 나에게 미안해서라도 거절을 못하는 눈치였다. 이번 시험을 포기하면 유학파 무관으로 가는 길은 완전 막힌다. 시험 날 아침 출근하는 남편에게 무슨 수를 써서라도 시험을 보러 가야 한다고 새벽부터 남편을 압박했다. 이번에는 남편의 각오도 남달라 보였다.

그날은 나도 비장했다. 남편을 출근시키고 서둘러 정성껏 쿠키를 구웠다. 예쁘게 장식한 바구니에 길게 쓴 손 편지도 함께 넣었다. 모시는 상관님의 관사 현관에 바구니를 살짝 놓고 왔다. 편지는 남편을 위해 아내가 쓴 간곡한 글을 적었다. 근무에서 작은 것 하나도 소홀함이 없는 남편이 상관을 모시는 책임을 다하려고 그동안 놓친 교육을 이번에 받게 된다면 군과 나라에 꼭 필요한 자원이 되겠다는 각오를 담았다. 그리고 교육을 갈 수 있도록 보직을 바꾸어달라는 부탁의 편지였다.

남편은 비서직에 있었다. 현재 하고 있는 보직의 임무 기간이 많이 남아 있었다. 그러다 보니 만약에 교육 기관에 들어가 중간에 사람이 바뀌게 되면, 분명 윗분은 무척 불편할 것이다. 충성심이 남다른 남편은 모시는 분에 대한 예의가 아니라고 생각하고 있었다. 남편에게는 지금은 때가 아니라고 매번 타당한 변명 같은 이유가 있었다. 그렇지만 나는 남편이 이미 몇 번이나 놓친 기회를 한 번 남은 마지막까지 놓치게 할 수 없었다. 남편이 교육을 통해 한 단계 성장하기를 간절한 마음으로 바라고 있었다.

마침내 남편은 시험에 붙었다. 모시던 분이 허락을 해 주셔서 영어 학교에 입교하게 되었다. 결국 남편은 영어에 능통한 자원이 될 수 있었다. 그리고 다음 보직은 용산 한미연합사였다. 남편은 내가 편지를 적은 사실을 모른다. 그리고 그 편지가 어떠한 영향을 미쳤는지도 모르겠지만, 불가능한 꿈은 없다는 것을 알게 되었다. 남편을 위해 길이 안 보였지만 길을 찾아낼 수 있었다. 그때의 간절함은 문제 해결의 원동력이 되었다.

흰 장갑 작전

오래 전 육군대학은 진해에 있었다. 남편은 소령으로 진급하여 육군대학에 가서 6개월의 교육을 받아야 했다. 남편은 집도 구하고, 시험 준비를 위해 진해로 미리 떠난 상황이었다. 나는 이사 준비를 하면서 남편이 집을 구했다는 연락을 주기를 기다리고 있었다.

당시 우리가 살던 곳에서 경남 진해까지는 꼬박 일곱 시간이 넘게 걸리는 먼 거리였다. 우리 아이들은 첫째가 네 살, 둘째는 돌이 채 안 되었다. 진해까지 가는 차편을 아무리 찾아봐도 기차도 버스도 마땅하지 않았다. 더구나 어린 두 아이를 데리고 가야 하니 난감했다.

첫 시험 준비로 먼저 떠난 남편은 준비할 것이 너무 많다고 하니, 이사를 위해 올라오라고 차마 말할 수가 없었다. 나는 할 수 없이 이삿짐 차의 운전석 옆에 타고 진해로 내려가기로 했다. 남편 없이 이사하는 것까지는 감수하겠지만, 어린 두 아이를 데리고 기사 아저씨 옆자리에 앉아 장거리를 가는 것이 여간 불편한 일이 아니었다. 그러나 남편의 시험 준비 또한 매우 중요했기에 이 상황을 참아내야만 했다.

육군대학 성적은 대령 진급까지 영향을 미치기 때문에 교육생 모두 신경이 곤두선 상태로 6개월을 보낸다. 대위 말에 소령 진급 명령을 받고 하는 교육이라 동기생들은 거의 신혼 초이거나 자녀들이 유치원에 다닐 정도의 어린아이였다. 진해에서는 6개월 동안 자비로 방을 구해야 했다. 보증금과 6개월 치 월세를 한꺼번에 내야 하므로 대위 월급으로는 부담되는 목돈이 필요했다.

어떤 집을 얻었느냐는 결국 양가 부모의 재력에 달려 있었다. 우리가 모여 살았던 동네는 육대에서는 강남에 속한 이층 촌이었다. 어느 동기는 전세로 넓은 이층을 독채로 다 얻었다. 우리 집은 강남의 끝에 위치한 방 두 개에 거실이 있는 이층집이었다.

육대에서의 생활은 눈에는 보이지 않는 시험 전쟁터였다. 천점 만점에 일이 점 차이로 우등상이 결정되었다. 우리의 목표는 졸업식 날 흰 장갑을 끼고 우등상을 받는 것이었다. 남편들은 일명 '흰 장갑 작전'에 돌입했다.

남편들은 매일같이 보는 쪽지 시험과 전술 시험으로 완전히 지쳐 있었다. 남편들이 학교에 가 있는 동안 아내들은 거실에 커다란 지도를 펴놓고 비닐로 그것을 덮은 다음 색 매직으로 지도를 몇 장씩 그렸다. 교육이 끝날 무렵에는 지도를 안 보고서도 그릴 수 있을 정도가 되었다.

아이들이 어렸기에 잠시 낮잠을 재워놓고 매번 재빠르게 지도를 그려야 했다. 아이들을 돌보며 남편 공부를 돕는 일은 결코 쉽지 않았다. 하지만 가족들이 안 따라온 장교들이나 총각 장교들은 수업이 끝나고 와서 본인이 혼자 수업 준비를 전부 해야 하니 그만큼 공부할 시간을 뺏기게 된다.

남편은 이미 생도 때 공부하는 훈련이 되어 있었지만, 더 필요한 것은 시간과 잠을 덜 자면서도 더 공부할 수 있는 체력이었다. 밤새 공부한 남편이 아침에 일어나자마자 오늘 시험 볼 예상 문제를 읽어주면 남편은 밥을 먹으면서도 화장실에 가서도 열심히 대답을 했다. 중간 고사를 보는 전날에는 남편들을 위해 청심환을 준비할 정도로 시험 스트레스를 많이 받았다.

남편을 출근시키고 유치원 차를 기다리며 아내들은 어젯밤에는 누구네 공부방에 불이 제일 늦게 꺼졌다는 등 늦게까지 공부한 다른 신랑을 시샘하기도 했다. 지금 생각하면 아내들은 유치할 정도로 남편 성적 올리기에 혈안이 되어 있었다. 하지만 남편들은 더 절실했다. 성적에 가족의 생계와 진급이 달렸으니 죽을 힘을 다해 노력했고, 아내들은 이런 남편을 몸보신시키며 뒷바라지했다.

이때는 어린 두 아이만 돌보기도 힘겨워할 시기였다. 나 같은 상황이라면 남편의 교육 기간 동안 어린 자녀들과 친정살이를 하는 것이 상식이었다. 그러나 육대 성적은 아내 공부가 반이라는 말이 있었다. 그야말로 남편 공부를 위해 아내가 도와주어야 할 부분이 많았기 때문이었다.

어린 두 아들은 종일 엄마 옆에 붙어 있었고, 한 달 내내 감기를 달고 있어 매일 출근하듯 병원을 들락거렸다. 어느 날은 병원에 갔더니 보험이 안 된다고 했다. 이유인 즉 한 달 중에 보험이 되는 날이 27일이라는 것이 아닌가. 그러면서도 저녁 때에는 공부하는 남편에게 아이들이 방해가 될까 봐서 유모차에 태워 밖에 많이 나가 있었다. 너무 외로웠다. 돌봐야 할 세 명의 남자들이 나에게는 너무나 버거웠다.

부대에 있을 때나 교육 기관에 있을 때나 언제나 경쟁 속에서 생활했지만, 이곳에서 동기생끼리의 경쟁은 더욱 치열했다. 동기생 부인들이 아이들을 유치원에 보내고 모여서 우아하게 차를 즐길 때 나에게는 그럴 여유조차도 없었다. 매일 감기를 달고 사는 두 아이를 돌보아야 했고, 둘째를 낳은 지 일 년도 안 된 상태에서 극심한 산후 우울증에 시달리고 있었으니 동기생 부인들 사이에서 점점 열등감에 빠져들었다.

너무나 힘들었지만 남편은 나보다 한층 높은 스트레스를 받고 있었으니, 우리 부부는 서로에게 어떤 위로도 요구할 수 없었다. 우리는 서로 말이 없었다. 그때 상황을 해결할 수 있는 방법은 전혀 없었다. 이 시기가 그냥 빨리 지나가기만 바랄 수밖에 도리가 없었다.

남편이 학교에 간 후 아이들이 울면 나도 같이 울었다. 그러다 남편이 오면 간신히 정신을 차리곤 했었다. 유치원에서 돌아온 동기생 부인들의 아이들끼리 친구가 되어 놀고 있을 때에도 나와 우리 아이들은 어디에도 끼어서 놀 수 없었다. 그래도 중간 시험이 끝나는 날, 어쩌다 남편이 일찍 퇴근하면 우리 가족은 아이들을 유모차에 태우고 육대 운동장에 가서 남편이 아이와 공놀이를 하며 놀아주는 것이 유일한 가족 나들이였다.

젊은 날 우리는 방법을 몰랐지만 처음하는 아빠와 엄마의 역할을 정말 열심히 하면서 살았다. 젊은 남편은 교육장에서 가족을 지키기 위해 힘든 경쟁 속에서 우등상을 받기 위해 죽을 힘을 다해 공부를 했고, 젊은 엄마는 낮에는 아이들을 들쳐업고 병원을 다니며 아이들에게는 이유식을, 남편에게는 보양식을 해먹이며 눈코 뜰 새 없이 힘든 삶을 살았다.

육 개월 교육이 끝날 무렵 졸업 액자를 맞추기 위해 우리 부부는 지정된 사진관에 가서 사진을 찍었다. 육대 졸업식 때는 남편에게는 졸업패를, 아내에게는 공로패를 준다. 육군대학은 부부가 함께하는 교육 기관이었다. 나는 힘든 기억 때문에 공로패도 달갑지 않았다. 힘든 남편 앞에서 산후 우울증을 내색 한번 못했는데, 긴장이 풀리면서 안도감과 서러움에 참았던 눈물이 쏟아졌다. 아이들을 어떻게 키워야 하는지도 모르는 젊은 엄마가 주어진 스물네 시간을 정신없이 살았던 육 개월이었다.

드디어 졸업식 날이었다. 나의 힘든 삶을 가까이서 보아왔던 옆집 선배 가족이 저 멀리 단상 앞에서 나를 보더니 "흰 장갑이야!"하며 멀리서 소리를 쳤다. 곧바로 단상 쪽으로 달려가 선배 가족의 말을 확인하고 얼마나 기뻤는지 모른다. 선배 가족은 졸업식이 시작되기 전에 우등상 명단에서 남편 이름을 확인하고 나를 보자마자 소리친 것이었다.

인생에서 가장 힘들었던 육 개월의 육아, 인생에서 가장 기뻤던 육대 우등상을 받은 날이다. 우리 가족이 육 개월 동안 힘들어도 잘 버티고 얻어낸 결과물이었다. 젊은 날 어느 것 하나라도 목숨 걸지 않고 이루어 낼 수 있는 것은 없었다.

기회는 준비하는 자의 것

　　남편은 뒤늦게나마 대학원을 마칠 수 있었다. 그리고 박사과정에 들어가는 시기는 장군 진급 심사와 맞물릴 때였다. 진급 심사를 앞두고 박사과정까지 한다는 소문이 퍼지면 분명 선배들에게 미운 털이 박힐 것이 분명하다고 남편은 걱정을 했다.

　　사실 장군 진급은 하늘의 별따기이다. 더구나 전문 특기 중에서 기획 파트인 남편은 장군 되기가 더욱 어려웠다. 보통 한 기수에 극소수만이 진급의 영광을 누린다. 문서 제조기라는 별명이 있을 정도로 기획 파트에서 잔뼈가 굵은 남편이니 도전해 볼 만했지만, 어려운 싸움이었다.

　　하지만 나는 남편의 생각과는 좀 달랐다. 진급 심사 때 박사

제 41·42대 108연대장 이·취임식('05.11.08)

학위가 있다면 미운털이 아니라 실력을 더 인정받을 수 있을 것 같았다. 그러기 위해서는 부대 업무에 지장 없이 아무도 모르게 공부해야 했다. 그런데 문제는 부대에서만 있는 것이 아니었다. 대학원 지도 교수님도 남편의 박사과정을 꺼려하시는 눈치였다. 남편 또한 진급에 대한 압박으로 박사과정을 선뜻 결정하지 못하고 있었다.

내게는 남편에 대한 확신이 있었다. 석사 논문을 쓸 때 남편은 통계와 확률을 독학하며 거의 한 달 가까이 날을 새며 썼다.

무섭게 집중하는 모습을 보면 생도 때가 생각났다. 남편은 전공 시험이 있을 때에는 서점에 있는 전공 제목이 적힌 책을 거의 다 샀다. 한 과목을 위해 무려 여섯 권의 책을 사는 것을 보고 그걸 다 보냐고 물으니 당연히 거기에 있는 문제까지 다 풀고 시험을 본다고 했다.

남편은 분명 기회만 주어진다면 아무리 어려워도 박사 논문을 써낼 것이라는 믿음이 생겼다. 더구나 이번 시기에 수업을 시작하지 못하면 진급을 한다 해도 잦은 보직 이동으로 학업을 계속 유지하는 것은 불가능하다고 생각했다.

남편의 대학원 졸업식 날 뵈었던 지도 교수님께 전화로 면담 요청을 했다. 반갑게 차를 내주시는 교수님께 조심스레 남편의 박사과정에 관해 이야기를 꺼냈다. 교수님은 군인의 경우 바쁜 업무와 돌발적인 상황들 때문에 수업 참여도가 떨어질 것을 많이 염려하셨다. 남편이 현역 군인으로 박사과정이 진행된다면 대학교 측에서도 첫 케이스였기에, 혹이나 나쁜 사례를 남기게 될까 봐 미리 염려하시는 것 같았다.

남편이 석사 논문을 쓴 과정을 상세히 말씀드렸더니, 교수님도 그 부분은 이미 높이 인정하고 있었다. 그리고 꼭 박사가 되어야 하는 이유를 말씀드리면서 만약 어쩔 수 없는 상황이 생겨 수업을 못 듣게 된다면 아내인 내가 와서 수업을 녹음하고 필기를 해서라도 남편의 공부를 돕겠다고 구체적이고 단호하게 나의 의지를 말씀드렸다.

그리고 교수님 앞에 원서를 내밀었다. 교수님은 웃으시면서 이런 경우는 처음이라며 그런 각오라면 남편의 입학을 돕겠다고 말씀하셨다. 망설이던 남편도 교수님이 입학을 허락했다는 소식에 각오를 단단히 다지기 시작했다.

석사 학위는 늦게 땄지만 박사학위는 주위의 동기들보다 빨랐다. 군에서 학위가 꼭 필요한 것은 아니지만 박사학위를 준비하는 동안에 남편이 성장할 것을 생각하면 가슴이 벅찼다. 부대 안에서 우물 안의 개구리같이 좁은 시야가 될까 봐 걱정했는데, 남편은 공부하는 과정에서 조금씩 지식의 눈을 떠가는 것 같았다.

진급과 맞물려 가장 힘든 시기였지만, 지나고 보니 가장 적당한 시기에 박사과정을 이수한 것이다. 진급 심사 시에는 박사학위 갖고 있다는 것이 든든한 배경이 되어 불안감을 어느 정도 덜 수 있었다. 현역에 있을 때 학위를 땄기에 제대한 후에도 여러 가지 일들과 연결되어 유익한 경험을 할 수 있었다.

처음에는 미래의 기회를 찾지 않고 현실에만 충실한 남편이 안타까웠다. 그러나 한결같은 마음으로 욕심 없이 하나만 바라보는 강직함에 존경심을 느끼기 시작했다. 때로 남편에게는 중요한 시기인데도 현실에 부딪쳐 결단하지 못하고 망설일 때가 있었다. 남편에게 모험할 용기를 주고 응원이 필요할 때에는 망설이지 않았다. 그럴 때일수록 사랑하는 사람이 끝없이 믿어주고 손을 잡고 모험을 같이 시작하면 된다.

남편의 마음을 지켜주며 잠잠히 바라보면 내가 들어가 위로와 응원을 할 수 있는 공간이 보인다. 남편과 아내는 서로 믿으며 말없이 부족한 것을 채워주고, 너무 넘치는 것을 덜어 주고, 모난 것을 깎아주면 된다. 그러다 보면 서로에 대한 신뢰와 존경심이 조금씩 뿌리내린다.

모든 것에는 때가 있다고 한다. 어느 때는 기다려야 무르익었고, 어느 때는 기회라 생각하면 무조건 잡아야 했다. 그래야 기회의 계단을 한 계단씩 오를 때마다 그만큼씩 펼쳐지는 넓은 세상을 볼 수 있었다. 인생에는 정답이 없는 것 같다. 어느 때는 어설프고 부족해도 혼신을 다해 집중하면 인생에서 가장 적기에 가장 큰 기회를 잡게 된다.

주말 부부가 사는 법

우리 가족은 자녀들이 중학생이 되면서 주말 부부 생활이 시작되었다. 주말마다 남편을 찾아갔다. 남편은 한 달에 한 번 있는 외박도 바쁜 업무 때문에 제대로 찾아먹지 못했다. 내가 기억하기에 32년 동안 한 주도 남편을 혼자 있게 두지 않았다. 남편이 못올 때는 어김없이 주말에 남편을 찾아갔다.

주말에 훈련을 떠날 경우에는 훈련 전날에 남편에게 가서 준비물을 챙겨주었다. 훈련 가기 전 내가 가서 크게 도와줄 일이 있는 것은 아니었지만 말이다. 그렇게 해야 남편이 위험한 훈련을 잘 마치고, 건강한 모습으로 돌아올 것 같았다. 그렇게 훈련 떠나는 남편을 응원하고 격려했다. 누가 시키지 않아도 스스로 이것이 아내의 도리라고 생각했다.

남편이 춘천에 있는 부대에서 근무할 때다. 매주 토요일이면 남편을 보러 대전에서 부대가 있는 춘천까지 왕복 여섯 시간을 운전해 부대를 찾아간다. 춘천 가는 고속도로는 휴가철에는 문막과 원주에서만 한 시간 이상 지체된다.

토요일 오전이면 백화점 문화 센터에서 '엄마와 아기가 함께' 하는 놀이 수업을 진행한다. 아침부터 동동거리며 문화 센터 수업을 부지런히 끝내고, 집으로 돌아와 아들을 과외 수업에 데려다준다. 그리고 주말에 엄마의 부재를 느끼지 않도록 청소기를 돌리고 공부방을 정리해주고 저녁상과 간식을 준비해둔다. 그리고 정신없이 어젯밤 준비한 반찬을 챙기고 남편에게 갖다줄 철 바뀐 옷가지와 새로 산 파자마를 챙기고 얼른 차에 오른다.

"제발 차가 밀리지 않아야 하는데." 주문을 외듯 혼잣말을 한다. 얼른 도착해야만 남편에게 늦은 저녁상이라도 차려줄 수 있으니 마음이 바쁘다. 일주일 동안 고생한 남편에게 따뜻한 저녁 식사를 해주고 싶은 마음에 밤새 찌개거리를 손질해 가지고 간다. 토요일 아침은 아무리 새벽부터 서둘러도 이것저것 챙기다 보면 매번 남편의 저녁 시간은 늦어진다. 남편은 반찬 투정은 안 하지만, 정해진 시간에 꼭 밥을 먹길 원하는 배꼽 시계이다.

운전을 하며 부지런히 가고 있는데, 갑자기 배가 고프다. 하루가 얼마나 바빴는지 이제 생각해 보니 아침부터 한 끼도 제대로 먹질 못했다. 남편 주려고 싼 가방에서 과일 몇 조각을 꺼내 허기를 달랜다. 걱정했던 대로 문막부터 정체된다는 교통방송이 흘러나온다. 방송이 끝나기 무섭게 차가 기어가기 시작한다. 아뿔싸! 정말 큰일이다.

주말에 남편에게 가면 한 달에 한 번은 월요일 아침에 사모님과 티타임을 갖는다. 군단장 사모님은 현명하신 분이셨다. 매번 뵐 때마다 삶의 지혜가 보였고, 남편에게 듣지 못하는 부대 소식까지 전해주시니 참으로 요긴한 시간이었다. 사모님은 주말마다 남편을 찾아와 주니 고맙다는 인사를 하신다. 매주 남편을 보러 찾아오는 가족은 나밖에 없다고 하시며 그런 간부는 안심이 된다는 말씀까지 덧붙인다. 내가 내 남편 보러 오는데 왜 이런 인사를 하시는지 뭐가 안심이라는지 그 당시엔 이해가 안 됐다. 하지만 머지않아 내가 지휘관 가족이 되어 보니 그 이유를 알게 되었다.

사실 남편이 지휘관이 된 후 가족들을 집합시키는 모임은 하지 않았다. 어쩌다 연말 부부 동반 모임을 하게 되어 가족들을 만나면 다른 것은 아무것도 신경쓰지 말고 가정만 잘 챙기라고 당부했다. 사실 남편들이 가정에 신경 쓰느라 부대 업무를 놓치는 경우가 종종 있다. 그러다 보면 이내 사고로 연결되는 경우를 접하곤 했다. 남편이 부대 일에 집중할 수 있도록 아내들이 가정을 잘 지켜주었으면 하는 바람은 어느 지휘관에게나 부탁하고 싶은 말이었다.

남편과 떨어져 있는 평일에는 대전에서 센터를 운영하고 있었다. 부대에서 부부 동반 모임이 있다고 하면 학부모에게 양해를 구하고 무조건 남편에게 달려갔다. 주말 부부를 하는 아내이기에 혹여 가족이 함께 사는 다른 남자보다 위축될까 봐 항상 신경쓰였다. 남편 부대 일이 나에게는 항상 1순위였다.

갑작스럽게 부부 동반 모임이 생기는 경우도 종종 있었다. 연락을 받자마자 센터 수업을 급하게 정리하고 허둥지둥 버스 터미널로 간다. 회식 시간에 맞추려면 차를 갖고 가는 것보다 고속버스를 타는 것이 훨씬 빠르다. 시간이 없어 중간 휴게소 화장실에서 얼른 옷을 갈아입고 화장을 하고, 버스에서 내리자마자 회식 장소로 뛰어가곤 했다.

장거리 주말 부부에게, 더구나 일하는 아내에게는 가장 황당하고 힘든 일이 이런 번개 부부 모임이다. 평일에 같이 사는 자녀들에게도 주말에 만나는 남편에게도 최선을 다해 충실한 엄마이고 아내의 역할을 다하려고 노력했다.

133

요즘에는 대부분 월급 통장을 아내가 관리한다. 월급을 다 주어도 박봉이니 남편은 큰소리 한 번을 못 친다. 가족과 떨어져 생활하는 남편들은 부대 식당에서 식사를 거의 해결할 수 있으니 돈 쓸 일은 별로 없지만, 남편들은 월급 한번 제대로 보지도 못한 채 아내에게 받는 적은 용돈으로 생활한다. 가족이 함께하지 않는 군인 가장은 왠지 모르게 힘이 없어 보였다.

부대에는 많은 일들이 있지만, 남편의 외도로 가정이 깨지는 경우도 있었다. 나는 지난 세월을 되돌아 보니 주말 부부로 살아야 할 경우라도 주말에 바쁜 남편을 찾아가는 것이 가정을 깨지는 일이 없도록 아내들이 미리 할 수 있는 안전 장치였다는 생각이 든다. 부부가 함께하는 것은 부부의 연을 맺으면서 하는 약속이다. 모든 직장이 그렇겠지만 부대 업무는 특히 더 외롭고 힘들다. 진급이라는 제도 덕에 동료끼리 경쟁하게 만드니 정신적으로 사람이 피폐해진다. 진급 발표로 매년 좌절감을 느끼고 자존심 상하게 되는 일도 많다.

남편들이 부대에서 아무리 힘들어도 집에 가면 가장으로 위로받고 충전되어야 한다. 그래야 밖에 나가 충전된 힘으로 또 하루를 살아낸다. 세상 사는데 뭐 대단한 것이 필요할까? 남들이 볼 때 볼품이 없고 초라해 보여도 한 남자에게 한 여자의 사랑만 있으면 세상 무서울 게 없다. 남편은 아내와 자녀들의 사랑과 응원을 받으며 '우리아빠 최고!'하면 가족을 지키기 위해 자존심을 버리고 죽을 힘을 다해 일을 한다.

가정이란 울타리는 참 아름답다. 가족은 꽁꽁 하나로 묶인 내 편이다. 절대 남편을 외롭게 해서는 안 된다. 그리고 남편 또한 아내를 사랑하고 외롭고 슬프게 해서도 안 된다. 이것 또한 가정을 지키는 아내와 남편의 지혜로움이다.

군인의 아내에게 필요한 것

진급 발표가 난 후 일 년이 지난 후에 정식 계급장을 다는 행사를 한다. 남편은 정복을, 나는 한복을 차려입고 부대 본부 지휘부로 갔다. 남편의 삼십 년 군복무 동안 이곳 본부에는 처음 들어와 본다. 현관 입구서부터 삼층 행사장까지 올라가는 동안 만나는 동료와 후배들은 축하 인사와 경례를 한다. 나도 덩달아 목례를 했다.

행사가 시작되면 한쪽 어깨에는 상급장군이, 다른 한쪽 어깨에는 아내가 계급장을 달아준다. 그동안 남편의 노고와 앞으로 큰 뜻을 펼치라는 바람을 담아 조심스러운 마음으로 남편의 어깨에 계급장을 달았다. 남편의 어깨가 갑자기 무거워 보였다. 그리고 장군이 되면 별이 그려진 부대기와 '삼정도'라는 칼을 받는다.

진급 때가 되면 남편이 계급에 맞는 그릇으로 준비는 되었는지 조심스레 뒤돌아보았다. 남편이 큰 그릇이 되기를 바라는 마음으로 긴 세월을 견딘 것 같다. 진급 발표를 하는 날은 높은 계급일수록 상황이 빠르게 전개된다. 축하받는 사람과 떠나는 사람이 한순간에 잔인하게 구분된다. 항상 최상과 최악이 공존하는 것 같았다.

진급은 운명을 바꾼다. 군인 남편 옆에는 모든 상황을 말없이 받아들이고 처리하는 아내들이 있다. 발표가 나자마자 군의 명령에 순응하고, 보직에 따라 이사할 곳이 정해진다. 하루가 지나기 전에 짐을 옮기고 공관을 비어줘야 하는 일은 아내의 몫이다. 내가 본 선배 사모님들은 승진과 누락의 결과에 흐트러짐이 없었다. 그들이 존경스러울 만큼 대단해 보였다. 그리고 남편의 다음 보직 이동을 위해 빠르고 단호하고 깔끔하게 안살림을 정리했다. 훌륭한 남편 옆에는 말없이 내조하는 아내들이 있었다.

찬바람이 불기 시작하면 진급 발표가 난다. 진급 발표가 나면 모든 것이 순식간에 진행된다. 혹시 인수 인계의 어수선한 공백으로 업무에 차질이 생기지 않도록 남편은 부대 파악에 집중한다. 초급 장교 때에도 이사를 하고 삼사 일이 지나서야 집에 들어왔는데, 장군이 되어서도 바쁘긴 마찬가지다. 부대 지휘관이 바뀌면 부대는 분주하다. 연병장 한가운데는 부대기가 있고, 부대원들은 사열을 위해 정렬을 맞추었다. 사열대 위에는 내빈들이 앉고, 단상 위 남편 옆에는 아내인 내가 앉았다. 이임사가 끝나고, 남편은 취임사를 했다. 오늘은 남편의 특공부대 여단장 취임식이 있는 날이다.

부모님과 친척 분들이 취임식을 보러 버스를 대절해서 오셨다. 연병장에서 취임식을 보고, 부대 구경도 하고, 군 친구들은 다과와 간단한 식사를 앞에 두고 연회 자리에 모였다. 떠나는 분에게는 무사히 임기를 마친 것을 축하하며 그 노고를 치하하고, 새로이 영전한 남편에게는 앞으로 펼쳐질 군 생활에 대한 기대와 축하를 하는 자리였다. 케이크 절단식과 샴페인 터트리기로 분위기가 무르익었다. 먼 길을 축하하러 온 손님들께 고맙다는 인사를 잊지 않았다.

친척들이 식사하시는 동안 나는 연회를 끝내고 관사로 향했다. 이삿짐 정리도 못한 상태로 손님을 치러야 했다. 부대 관사를 처음 본 어르신들은 마냥 신기한 듯 이곳저곳을 둘러본다.

친지분들은 내가 남편을 따라 전국을 유람하며 넓고 좋은 관사에서만 살아온 줄 아신다. 더구나 병사가 해주는 밥을 먹으며 호강하는 며느리라고 부럽다고 농담까지 하셨다.

동이 트기 시작하면 기상 나팔 소리와 함께 부대의 일과가 시작된다. 관사에서도 아침 식사를 마친 후 여단장 출근 준비로 부관과 운전병이 대기한다. 부관이 긴급하게 보고할 내용이라도 있으면 새벽부터 더 부산스럽기만 하다. 나는 더 심해진 불면증으로 정신 없는 상태에서도 남편의 출근을 배웅했다. 넓은 관사를 둘러보는 것도 쉬운 일은 아니다. 집 밖을 돌며 이것저것 정리하고, 청소기와 세탁기를 돌리고 당번병에게는 우리 구역에는 절대 들어오지 말라고 당부를 하고 나도 얼른 부대를 빠져나왔다.

두 아들이 입대하면서 살던 집은 전세를 주고 남편이 있는 부대 공관으로 살림을 합쳤다. 이곳에서는 내가 일하는 직장이 그리 멀지 않았다. 남편은 꿈을 이루었지만 나의 삶은 여전히 고되다. 갱년기 우울증이 생기고 모든 행동 하나하나가 신경쓰였다. 두 아들을 군대에 보내고 나는 당번병, 운전병, 부관까지 자주 보는 세 아들을 챙겨야 했다. 혹시 나 때문에 이들에게 장군 부인에 대한 나쁜 인식이 박히지 않을까 걱정스러운 것이 한두 가지가 아니었다. 투명한 유리 상자 속에 사는 사람처럼 행동은 더 조심스러워졌고, 그럴수록 우울증도 심해졌다.

이럴 때면 지난날의 추억을 가끔 되새겨본다. 만난 지 얼마 안 되어 우리는 결혼을 결심했고, 함께 적금을 부으며 결혼자금을 마련했다. 군인의 아내가 되기 위하여 어떤 것을 준비하는 것이 좋을지 심각하게 고민했고, '군인의 지혜로운 아내가 되는 수업'이 혼수라고 생각했다. 처음 배우기 시작한 게 꽃꽂이였다. 남편의 군 생활 동안 수많은 꽃바구니를 만들어 이웃의 생일날이나 좋은 날에 축하 꽃바구니를 선물을 하는 등 배운 것을 잘 써먹었다.

친정엄마가 요리는 꼭 배우고 결혼해야 한다고 신신당부하셔서 퇴근 후에 힘들게 요리 학원을 다녔다. 손님에게 존중과 사랑을 전하는 데는 정성껏 준비한 음식 대접만 한 것이 없다. 전출이 잦은 군인에게는 한 끼의 식사 대접은 오랫동안 기억된다.

가장 요긴했던 것은 빵 만들기였다. 오랜 미국 생활을 하던 지인이 빵집을 냈다. 그곳에서 피자란 것을 처음 보았다. 1980년대에 제과점에서는 식빵과 하얀 생크림 케이크 정도가 주를 이루었을 때였다. 퇴근 후 지인의 빵집에서 심부름을 해주며 피자와 파이, 쿠키 만드는 것을 배울 수 있었다. 신혼 때는 이렇게 배운 것을 자랑하고 싶어 남편 출근 때마다 매일 빵을 만들어 보냈다. 거절 못하는 남편은 이때 늘어난 체중이 아직까지 빠지지 않고 있다.

매년 12월 사과 파이와 호두 파이를 구워 등나무 재료로 만든 쟁반 위에 담아 카드 한 장을 얹으면 훌륭한 크리스마스 선물이 되었다. 무려 삼십 년 전에 김치 불고기 피자도 구워냈다. 부대에 손님이 오거나 테니스장에서 간부들이 운동을 하면 간식으로 얼른 한 판 피자를 구워 들고 가곤 했다.

결혼 전에 군인의 아내로서 갖추어야 할 자질을 메모하며 준비를 했었다. 혼수 준비랍시며 배운 것들을 통해 군 생활 동안 어려운 살림에서도 큰돈을 들이지 않고도 사병들과 이웃들에게 사랑을 전할 수 있었다. 그 덕분에 지난 세월 동안 지혜로운 군인 아내의 삶을 살 수 있었다.

인생은 모험이다. 어느 곳으로 데려갈지 모른 채 인생의 물결 위에 나를 맡긴다. 그러나 어디에 있든지 삶의 의미를 찾고 귀한 것을 나누는 것은 나의 몫이다.

제4부

아내의 홀로서기

홀로서는 아내

신년 하례식 때였다. 공수부대 비서실장으로 보직을 바꾸고 첫 공식 행사에 부부가 참석하게 되었다. 새해 첫날 아침부터 두 아이를 옆집에 맡기고 정신없이 한복을 입고 공관으로 올라갔다. 벌써 사모님들은 식탁에 둘러앉아 있었다. 신년 하례식은 새해 첫 아침에 지휘관님과 가족이 모여 떡국을 먹고 덕담을 나누는 행사이다.

사령관님은 비서실장으로 온 우리 부부를 지휘관들에게 인사를 시키려 하셨다. 대단한 배려였다. 그 자리는 장군 이상만 참석하는 어려운 자리였고, 남편이 비서실장이라지만 아내까지 하례식에 초대하는 건 흔한 일은 아니다. 나에게는 무척이나 어렵고 어색한 자리다. 이럴 때는 최대한 눈에 안 띄게 구석에 숨어 있는 게 상책이다. 식사하기 전 덕담이 오가더니 사령관님이 난데없이 비서실장 가족 일어나 노래 한 곡 하라고 하신다.

아뿔사! 나에게 하시는 말씀이다. 정초 밥상머리에서 무슨 노래를 하란 말인가? 옆에 앉아 있는 남편을 쳐다보니 남편은 내 눈을 피한다. 그리고 난감해하는 나에게 “어서 해!”하는 게 아닌가. 한복 입고 무슨 노래를 하란 말인가. 등에서 식은땀이 나고 얼굴은 화끈거리다 못해 벌겋게 달아오른다. 무슨 노래를 해야 할지 정말 생각나는 가사가 하나도 없다. 남자가 이럴 때는 “제가 같이 하겠습니다! 아님 제가 대신하겠습니다!”라고 말해주어야 하는 게 아닌가. 하지만 눈까지 피하는 걸 보니 이 남자에게 구원의 손길을 기대하긴 틀린 것 같았다. ‘아! 떡국이 식어간다.’ 더 이상 시간을 끌 수는 없었다.

이 상황을 빨리 벗어나야 했다. 모르겠다. 아무거나 하자. 나는 ‘얼어붙은 달그림자 물결 위에…’하며 〈등대지기〉를 부르고는 자리에 얼른 앉았다. 그때 남편을 알아봤다. 어려운 상황이 닥치면 남편은 항상 내 옆에 없었다. 무엇이든 나 혼자 해결하고 헤쳐 나가야 한다는 것을 진작 알았어야 했다. 이날의 기억은 시간이 지나도 지워지지 않고 얼룩처럼 남아 있다. 그 이후에도 남편은 철저히 나를 홀로 서게 했다.

평생 나는 남편을 실망시키지 않으려 노력했다. 남편에게 걸맞는 수준 높은 모범 답안을 만들고 그 안에 들어가려고 나 자신을 옥죄며 살아왔다. 나에겐 별로 관심 없는 남편을 위해서 말이다. "잘한다, 수고한다" 따위의 칭찬과 위로도 없었다. 너무도 당연한 일에 무슨 상급이 있겠는가? 다만 더 잘해야 된다는 채찍질과 자책만 있었을 뿐이다.

사실 남편은 평가하는 성격도 아니고, 어떤 것을 강하게 요구하는 성격은 더욱 아니었다. 투명한 벽 같은 남편에게 사랑받기 위해 내가 선택한 것이었다. 평생을 나 자신으로 살아본 적이 있었나 싶다. 누구에게 인정받고 사랑받고 그래야 내 존재감을 느낄 수 있었기 때문에 내가 택한 방법이었을 뿐이다. 그것은 큰 착각이었을 뿐이다. 나의 존재는 상실되었다.

아들이 결혼하기 며칠 전 일이다. 그날따라 몸이 안 좋은 상태로 간신히 남편 점심을 차려 놓고 급하게 아들과 외출을 하고 돌아왔다. 식사를 마친 남편이 늘어놓은 반찬통과 수저까지 식탁 위에 그대로 놓여 있었다. 설거지라곤 한 번도 해준 적 없는 남편에게 나도 모르게 "설거지라도 해주지!"하고 투정 섞인 짜증을 부렸다. 이런 나를 보며 아들은 엄마를 달랜다.

"엄마, 아빠는 설거지 안 하잖아요~."

얘기하다 싸우기라도 할까 봐 얼른 나를 달랜다.

"엄마, 스트레스 받지 말고 이제부터는 식기 세척기 사용하세요."

아들은 아빠에게 홀로 남겨진 엄마를 걱정하며 그날로 식기 세척기를 이별 선물로 사주었다.

나이가 들면 매일 하던 일의 속도가 점점 느려진다. 일을 못하는 사람으로 조금씩 변해가고 있었다. 옛날에는 혼자서 해결하던 일들도 남편의 도움이 절실할 때가 자주 생긴다. 나는 변했는데 남편은 항상 그대로다. 이제껏 어떤 것도 남편 도움 없이 거뜬히 잘 해냈는데, 이젠 남편에게 기운 빠진 나를 이해시켜야 한다. 이젠 도와 달라는 잔소리를 할 수밖에 없다.

그렇게 몸은 둔해져도 마음은 새롭게 변하고 싶었다. 나의 무대에서 주인공으로 살고 싶었다. 하던 집안일을 멈추고 나에게 시간을 투자했다. 나에게는 용기가 필요한 모험이었다. 탈선하는 청소년같이 죄스럽고 홀로 서는 두려움도 있었다. 목적이 불분명하고 자신감조차 없는 변화는 가족들까지 불안하게 만들었지만, 시행착오의 과정은 누구에게나 있는 게 아닌가.

변해 가는 엄마의 모습은 가족이 익숙해 하던 엄마의 모습이 아니었나 보다. 내게 습관을 바꾸는 건 도전이자 혁신이었지만, 가족에게는 불편함만 줄 뿐이었다. 나는 가족에게 응원받고 싶고, 지지받고 싶었다. 엄마가 즐거우면 가족을 더 행복하게 해줄 수 있으니까. 가족이 함께 더 많이 행복하고 싶었다.

경단녀의 첫 직장

결혼 칠 년 만에 우연한 기회에 직업을 얻게 되었다. 과학실험을 하는 가정 방문 교사였다. 어릴 적부터 로봇 박사가 되는 것이 꿈인 큰아들이 과학에 흥미가 많아 수업을 신청하게 되었다. 집을 방문한 선생님은 대학을 갓 졸업한 앳된 선생님이었다. 실험 프로그램은 제법 재미있었고 아들은 잘 따라했다. 그런데 두어 달이 멀다 하고 선생님이 자꾸 바뀌었다. 우리가 사는 곳은 시내에서 떨어져 있었고, 가정 방문 수업이 처음 생겨서 군인들이 모여 사는 아파트에는 확보된 회원이 그리 많지 않았다.

어느 날인가 방문 선생님이 못 온다고 연락이 와서 교재를 꺼내 아이와 함께 수업을 했다. 수업을 하는 내내 아이도 나도 너무 즐거웠다. 아이의 눈높이에 맞추어서 설명하는 내 자신이 놀라웠다. 교재만 있다면 선생님 대신 내가 가르칠 수도 있을 것 같았다. 원래 이 교재는 아이 스스로 놀면서 하는 프로그램이었는데, 우리나라에서는 가정 방문 제도를 도입한 것이었다. 어쩌다 보니 아들과 놀면서 한 수업으로 한 달 치 교재를 다 써 버렸다.

그 이후부터는 선생님이 가르치는 것을 보면서 이렇게 설명하면 더 잘 이해할 텐데 하는 부분이 생기기 시작했다. 결혼 전 실험실에서 일을 했기에 사실 이런 원리를 가르치거나 이론을 설명하는 것은 나에게는 어렵지 않은 일이었다. 방문 선생님과 친해지면서 아들에게 더 잘 이해시킬 수 방법을 제안하기도 하고, 미리 나갈 수업을 짚어주기도 했다. 잘못하면 어린 선생님의 마음이 상할 수도 있었을 텐데, 다행히도 내가 아들을 위해 마음을 쓰는 것을 아는지 나에게 도리어 고마워했다.

그렇게 1년이 다 되어갈 즈음 수업을 하던 선생님이 결혼을 이유로 그만둔다고 했다. 그때 대전 지부장에게서 전화가 걸려왔다. 나에게 수업을 해보라는 것이었다. 집에 와서 수업을 하던 선생님들이 농담처럼 "어머니가 수업하시면 잘하실 것 같아요."라고 하는 말은 여러 번 들어 봤지만, 내가 정말로 이 일을 직업으로 가지게 될 것이라고는 한 번도 생각하지 못했다.

내가 일을 하면 아이들이 방치될까 봐 고민도 했지만, 도리어 우리 아이들에게 도움이 되는 부분도 있을 것 같았다. 매일 출퇴근하는 것이 아니라 일주일에 한두 번 나가서 수업만 진행하면 된다니 일단 해보기로 했다. 곧바로 교사 연수 교육을 받은 후 내가 살고 있는 군인 아파트 단지만 맡기로 하고 수업을 시작했다.

내가 진행하는 수업은 실험 도구를 사용하여 여러 가지 과학의 원리를 깨닫게 하는 수업이었다. 가정마다 방문해서 한 시간씩 실험하는 것이었다. 수업을 하다 보면 부모들이 준비해 줄 것도 많고, 어떨 때는 목욕탕에서 수업을 진행해야 하는 경우도 있었다. 이런저런 불편함도 있고, 저녁 시간 온 가족이 함께 있을 시간에 내 자녀가 아닌 아이들과 시간을 보낸다는 것도 마음에 들지 않았다.

그래서 나만의 새로운 방법을 찾기로 했다. 회원이 접수되면 가정 방문을 해서 아이가 생활하는 환경을 파악한 후 다음 수업부터는 실험실이 있는 우리집으로 와서 수업을 하도록 유도했다. 현관에서 가까운 방을 실험실로 꾸몄다. 어린이 가운도 여러 벌 맞추고 비이커, 알콜 램프, 실린더, 저울추 등의 실험 기구를 준비해서 완벽한 실험실을 꾸몄다. 아이들은 여러 가지 실험 기구들을 보며 무척 신기해 했다. 하얀 가운을 입은 꼬마 과학자들은 분위기에 압도되어 수업에 집중했다. 거실에는 과학도서로 도서관을 꾸몄다. 수업하러 미리 와서 기다리거나 수업이 끝나고 엄마를 기다리는 아이들이 책을 보는 공간이었다. 우리 아들들은 가운을 입고 보조 교사로 엄마가 하는 수업에 함께 참여했다.

아이들이 꼬마 과학자가 되어 가운도 입고, 실험대에서 수업도 하고, 수업이 끝나면 엄마처럼 간식도 챙겨주며 책을 보게 하니 엄마들의 반응은 꽤나 좋았다. 홍보와 봉사 차원에서 매주 수요일에는 학년별 공개 수업을 무료로 진행했다. 이날은 형을 따라 왔지만 매번 방문 앞에서 수업하는 것만 부럽게 구경하던 동생들을 위한 수업이었다. 무료 일일 체험을 통해 더 많은 아이들이 등록했다.

가정 방문 수업이라는 게 처음 생겼을 때였다. 더구나 공부방이라는 것은 생각도 못할 때였다. 이 획기적인 방법은 내가 집을 비우지 않고도 자녀와 함께 같은 공간에서 나는 일을 하면서, 자녀에게는 학습과 리더십을 키울 수 있는 좋은 기회였다.

문제가 생기면 주저하지 않고 하나하나 해결하며 나아갔다. 이제 문제가 아니라 새로운 기회로 다가왔다.

경단녀 칠 년 공백을 깨고 아들 덕분에 결혼 후 첫 직장을 얻을 수 있었다. 이렇게 2년 동안 수업을 하면서 많은 회원을 확보했다. 나의 소문은 본사까지 알려졌다. 신입 교사 연수 때 삼백 명이 모인 자리에서 수업 성공 사례를 발표하기도 했다. 교재 판매 또한 최상위였다. 문의를 해 온 학부모와 상담을 하면 거의 백 프로 계약을 성사시켰다. 내가 학부모 입장에서 꼼꼼하게 알아보고 교재를 구입했던 경험이 상담할 때 엄마들에게 공감을 불러일으켰기 때문이었다. 군인 아파트를 떠날 무렵 나처럼 경험이 없는 주부 선생님 두 명을 뽑아 교육을 시켜서 수업을 나눠주고 이사를 했다.

그 다음 직장은 정말로 우연한 일로 얻게 되었다. 서울에서 충청도에 있는 부대로 이사를 했을 때였다. 자녀들이 다니는 학교는 한 학년에 두세 학급 정도 있는 운동장이 작은 시골 초등학교였다. 이곳에서 부대 대대장인 남편은 초등학교 졸업식 때 성적 우수자에게 상장을 주는 지역 유지에 속했다.

개구쟁이 두 아들을 전학시키고 시골 학교에 무엇이든 봉사를 하고 싶었다. 선생님께 나의 과학 실험 교사 경력을 말씀드리니 과학 실험 수업을 부탁하셨다. 수업 봉사를 몇 개월째 했을 때였다. 약속한 수업 날이 아니었는데 하루 전날 갑자기 수업을 부탁하셨다. 사실 나는 바쁜 일정이 있어 수업 준비도 어려운 상황이었지만, 선생님의 간곡한 부탁으로 할 수 없이 허락을 했다.

다음 날 수업을 하러
갔는데 교실 뒤에 여러 개
의 의자가 놓여 있었다.
수업 시작 종이 울리자 교
장 선생님과 여러분이 교
실에 들어오셔서 내가 아
이들과 수업하는 것을 참
관하셨다.

영문은 몰랐지만 아이들과 수업하는 것에만 집중했다. 봉사
하는 수업이니 사실 부담은 없었다. 매번 하던 대로 아이들과 재
미있고 신나게 수업을 했다. 나중에 알고 보니 갑자기 잡힌 장학
관님의 학교 순회 날이었다. 수업이 끝나고서야 장학관님께 인사
를 드렸다. 장학관님은 내 수업이 꽤 인상적이었다고 하면서 나에
게 과학 선생님이 없는 외딴 학교에 파견 교사를 해보지 않겠냐고
제안을 하셨다.

그날 개인적인 이유로 수업을 안 했다면 장학관님께 발탁될
일은 없었을 것이다. 그렇게 장학관님과 인연이 되어 몇 년 동안
교육청 소속 파견 과학 교사 일을 했다. 그것은 나에게 기회였고,
인생에서 다음 일을 시작할 수 있는 발판이 되었다.

나는 늘 달란트의 비유 이야기를 삶의 철학으로 삼으며 살았다. 그리 똑똑하지는 않지만 내게 주신 작은 재능도 감사하며 배우는 것을 게을리하지 않았다. 어느 때든 나를 필요로 하는 곳에서 재능을 나눌 준비가 되어 있었고, 감사하게도 그럴 때마다 나에게 기회들이 다가왔다.

로봇과 자녀 교육

　　교육청 소속 파견 과학 교사로 일을 하다 보니 연수를 받을 기회가 종종 있었다. 어느 날 전자 교육 연수가 있었는데, 처음 실시하는 생소한 교육인지라 다들 관심이 없었다. 새로운 교육에 호기심이 생겨서 신청을 했다. 대덕연구단지에서 이루어지는 교육이었는데, 그중 한 세미나에서 인생의 전환점이 될 만한 정보를 얻게 되었다.

　　강연자는 유명한 독일의 과학자였다. 그 내용은 2020년이 되면 공장에는 일하는 사람보다 로봇이 더 많아질 거라는 연구 발표였다. 그렇게 되면 모든 공장 작업은 사람이 아닌 로봇들이 하게 되니 사람들의 일자리가 없어질 거란다. 세미나를 들으면서 몸에 전율을 느꼈다. 그때만 해도 상상하기 어려운 일이었다.

평소에 자녀들의 진로에 대해 관심이 많았다. 특히 몸이 약한 아들에게는 진로를 일찍 정해서 조기 교육을 시켜야겠다고 결심을 하고 있었다. 꿈이긴 하지만 이미 아들은 로봇 관련 전문가를 준비하고 있었다. 2020년이면 아들 나이가 삼십 대이니 지금부터 준비한다면 그 시기에는 가장 핫한 직업을 선택하게 될 것이라는 확신이 들었다.

아들이 여섯 살 때쯤 TV에서 하는 〈철완 아톰〉이라는 만화영화가 한참 인기가 있었다. 아들은 빨려 들어갈 정도로 만화 영화에 집중했다. 덩달아 아이들과 같이 열심히 본 기억이 있다. 아들은 무엇이든 조립하는 것을 좋아했다. 그 무렵 문구점에 가면 사탕과 로봇 조립품이 같이 들어 있는 작은 장난감 상자를 많이 팔았다. 거의 매일 종류별로 사서 가슴통에 팔을 붙이고 다리를 붙이고 완성된 로봇을 갖고 놀았다.

아들에게 어떤 소질과 감각이 있을까 하고 유난히 관심을 가지고 관찰할 때였다. 아들은 만화를 보면서 아톰과 같은 로봇을 만드는 박사가 될 거라고 말하고는 했다. 별 고민 없이 그것도 좋은 직업이라고 생각했기에 그날부터 로봇 박사 만들기 조기 교육에 들어갔다.

로봇 박사가 되려면 무엇을 잘해야 할까? 문구점이나 과학 교구사에서 파는 조립품을 꾸준히 사서 아들에게 제공했다. 단순한 생각으로는 조립만 잘하면 로봇을 만들 수 있을 것 같았다. 어릴 적에 아들의 책상은 두 개였다. 하나는 공부하는 책상이고, 다른 하나는 설계도면을 그리며 조립과 실험을 하며 꿈을 펼치는 작업대였다. 조립품을 사서 한 번에 완성하지 못하면 두 번이고 세 번이고 완성할 때까지 똑같은 것을 사주면서 성취감을 느낄 수 있도록 했다.

　　로봇이 어떤 구조로 완성되어 가는지 내게는 상식이 없었다. 아들에게 어떤 교육을 시켜야 할지 또 어디에서 교육을 받아야 할지도 몰랐지만 정보를 얻으려 집중하고 있었다. 어느날 신문에 적혀진 〈로봇 방학 특강〉이란 작은 글씨가 눈에 크게 띄었다. 그렇게 찾던 로봇 교육을 하는 곳이 있었다. 이처럼 아무것도 없는 곳에서도 절실하게 원하고 바라면 매번 기회가 눈앞에 찾아와 주었다. 그리고 간절히 기다린 만큼 절대로 놓치지 않았다.

　　서울국립과학관에서 처음으로 실시하는 어린이 로봇 교육이었다. 앞으로 아들 교육에 필요한 정보를 얻을 수 있을 것 같아 일단 안심했다. 아들은 로봇 선생님과 인연이 되었고, 아들은 여러 해 동안 배우고 작업한 것을 방학 때마다 서울국립과학관에서

열리는 로봇 창작 전시회에 출품했다. 결국 교육방송에도 출연하고, 이후에는 일본과 싱가포르에서 개최된 로봇컵 대회에서 우승까지 했다.

아들을 가르쳐 줄 수 있는 선생님을 열심히 찾았지만 중학생 아들에게 맞는 선생님은 없었다. 제대로 된 로봇 교육을 시키기 위해 차라리 내가 배워야겠다고 결심하고 마흔 살에 대학에 다시 입학했다. 〈마이크로 로봇학과〉에서 로봇의 뇌에 해당하는 컴퓨터 프로그래밍을 배우고, 로봇의 심장에 해당되는 전기와 전자는 다른 학과 수업을 도강하며 아들을 가르쳤다. 중학생인 아들은 교육청에서 시행하는 수많은 과학 대회를 휩쓸었다.

다행히 아들이 좋아하기도 하고 잘하는 분야이니 자신 있게 한 방향으로만 질주하도록 모든 환경을 조성해 주었다. 그리고 컴퓨터 프로그램 언어가 핵심이라는 생각에 아들에게 개인교습까지 시켰다. 작은 아들은 형 수업을 따라 다니며 배운 실력으로 컴퓨터자격증 따서 나중에 컴퓨터 특기병으로 입대하기까지 했다.

그 당시에는 나 역시도 로봇에 빠져 있었다. 교육청과 정보통신부에서 로봇 교육을 활성화시키려 했지만, 전국의 대학교를 통틀어도 로봇 관련 학과는 몇 군데 되지 않았다. 초중고를 통틀어 청소년을 위한 로봇 교육을 하는 사람은 내가 유일했다.

나는 〈로봇과〉를 졸업한 후 정보통신부 로봇 프로그램 자격증을 감수하기도 하고, 전국적인 로봇 대회도 여러 개 만들었다. 군 페스티발에서는 WAR게임로봇대회도 만들었는데, 지금까지도 실시되고 있다. 그 즈음 카이스트에서는 축구 로봇을 만들어 세계 대회를 열었다. 국내뿐 아니라 세계에서 개최되는 로봇 대회를 찾아다녔다.

대학생이 된 두 자녀는 지도 교사가 되어 센터의 어린 동생들을 데리고 본인이 초중학생 때 경험했던 국제 대회에 참가했다. 이때에 경험한 세계 대회는 내가 직접 몇 년 동안 메일을 보내면서 대회 협회에 참여 의사를 밝히고 부탁해서 참가하게 된 대회였다. 이 무렵 우리나라에서 로봇 교육은 걸음마 수준이었다. 싱가포르에서는 학교 방과 후에 초등학생들이 노트북으로 직접 코딩하는 모습을 보고는 충격을 받았다.

아들과 제자들에게 성인이 되면 그들의 경쟁자 또는 동료가 될 세계 다른 나라 청소년들은 어떻게 로봇을 만들고 컴퓨터 언어들을 사용하는지 체험하게 해주고 싶었다. 이때 중학생이었던 회원들로부터 오랫동안 연락이 왔고, 대다수 회원은 이때 보고 느낀 경험으로 바탕으로 큰 꿈을 갖고 훌륭하게 자랐다.

오래전에 독일 과학자가 발표한 연구 발표를 신뢰했고, 2020

년이 될 때까지 20여 년 동안 앞으로 전개될 로봇 시대를 준비했다. 아들 때문에 만난 로봇 교육 선생님은 대전에서 로봇 교육장을 열라고 권하셨고, 나는 로봇 센터를 운영하며 자녀들과 함께 십 년 넘도록 전국 YMCA 로봇 캠프를 운영했다. 레고 교육 센터도 운영하며 문화 센터와 초등학교 영재반에서 로봇 프로그램을 가르쳤다.

　　방학이 되면 로봇 캠프가 진행되는 청소년 수련원에서 아들들과 방학 내내 거의 살다시피 했다. 이박삼일 동안 전자 교육과

기계 연구소 박사님의 로봇에 대한 세미나가 이어졌다. 스스로 걷는 전자 로봇을 완성하는 프로그램이었다. 작은아들은 프로그램 진행을 도와주고, 큰아들은 캠프에서 참여자가 만든 로봇의 버그를 찾아 수정하는 작업을 했다. 캠프가 끝나면 캠프 참여 학생들이 완성된 로봇을 가지고 집으로 가야 하니, 나와 아들은 캠프의 마지막 날 오십여 개의 로봇을 점검해야만 했다.

이렇게 아들들이 고등학생이 되기 전까지 우리는 로봇 캠프에서 동거동락했다. 바쁜 아빠를 대신해서 일을 하면서도 항상 아이들과 함께하려고 했고, 이런 체험은 아들들의 미래를 위한 유익한 경험이 되었으리라 확신했다. 월요일에서 토요일 오전까지는 자녀와 함께 지내며 엄마로서 그리고 전문 직업인으로 열심히 살았고, 토요일 오후부터 일요일까지는 남편에게 충실한 아내로 바쁜 일주일을 보냈다.

레고와 자녀 교육

덴마크에 있는 세계적인 회사인 〈레고〉에서 야심작으로 만든 로봇과 교육 프로그램을 진행할 교육 센터 세계 1호점을 맡게 되었다. 이 교육 프로그램은 세계에서 최초로 기계 조립 원리와 소프트웨어 프로그래밍 로봇 교육을 접목한 미래를 위한 지능 로봇 프로그램이었다. 우리 센터는 세계에서 공인된 첫 번째 교육장이었다. 아마도 내가 로봇을 전공한 것이 그들의 결심에 영향을 미친 것 같았다. 이 일은 내 비즈니스 인생에서 가장 큰 기회였다.

〈레고〉는 조립품 판매로 유명한 회사였다. 그들은 학원 개념이 발달한 한국에서 로봇 교육을 활성화할 센터를 찾고 있었고, 그 무렵 나는 로봇 교육 학원을 오픈하려고 준비 중이었다. 이미 하루에도 백 명 이상의 로봇 매니아를 가르치고 있었기에 나만의 교육장이 필요했다. 〈레고〉 본사 임원들과 나의 만남은 기가 막힌 타이밍에 이루어진 것이다.

그 당시 나는 일본 로봇 교육 제품의 총판을 맡고 있었다. 어느 날 로봇을 납품하는 대구원장을 정말 우연히 만나 이야기하던 중에 덴마크 교육 센터 인테리어팀이 대구에 와 있다는 것을 알게 되었다. 기초 목공 공사를 끝내고 본격적으로 로봇 학원의 내부 인테리어를 고민하고 있었기에 귀가 솔깃했다. 전율을 느끼며 오늘 인테리어 팀을 꼭 만나고 싶었다.

비가 많이 오는 늦은 저녁이었다. 나는 초보 운전자였고, 고속도로에서는 한 번도 운전해 본 적이 없었다. 더구나 비오는 밤길을 내비게이션도 없이 운전해 간다는 것은 무모한 짓이었다. 그러나 나는 무엇에 홀린 듯 즉시 대구로 차를 돌렸다.

덴마크에서 온 〈레고〉 본사 팀은 약속된 센터에 맞게 인테리어 물품을 가지고 왔지만, 중간에 여러 문제가 생긴 것 같았다. 벌써 많은 시간을 낭비한 그들은 일주일 후에는 본국으로 돌아가야 했다. 그들은 급하게 새로운 장소를 물색하던 중이었고, 무척이나 초조해 보였다. 그들과 늦은 시간까지 이야기를 나누고 새벽에야 집에 돌아왔다. 그런데 몇 시간이 지나지 않아 그들은 내가

오픈하려고 공사 중인 센터를 둘러보고 싶다고 대전으로 찾아왔다.

그들은 장소를 보자마자 이곳을 레고 교육 샘플 센터로 하고 싶다고 제안을 해왔다. 나는 좋은 조건으로 계약을 했고, 일주일 만에 나의 로봇 센터는 그들이 가지고 온 샘플 제품으로 화려하게 꾸며졌다. 그리고 그날 세계 최초로 〈레고〉 교육 센터 1호점 원장이 되었다. 이후 〈레고〉 사와 22년을 함께 일했다.

그곳에서 아들 둘을 키우며 교육시켰다. 그리고 아들들이 대학교 3학년이 되자 대전에 와서 주말 수업을 했다. 큰아들이 대학원 입학과 취업 전까지 진행하던 수업을 작은아들이 내려와 형을 대신해 진행했다. 살면서 어떤 상황에서든 계획하며, 준비했고, 그리고 기회가 보이면 적극적으로 나의 열정을 보였다. 넘치도록 욕심을 내지는 않았지만, 내가 가지고 있는 꿈은 크고 창대했다.

두 아들이 초등학교 다닐 때 일이 생각난다. 아들에게 컴퓨터를 처음 사준 날이었다. 기사님이 컴퓨터를 설치해 주고 간 후 두 아들은 모니터보다는 컴퓨터 본체에 더 관심이 있었는지 뚜껑을 열고 이것저것을 만지다가 컴퓨터가 그만 멈춰버렸다. 작은아이는 겁에 질려 있었고, 큰아이는 고쳐보겠다고 하면서 더 엉망으로 만들어버렸다. 서비스 기사가 하루 만에 다시 방문해서 컴퓨터를 고쳐주어야 했다. 그 후에도 우리 아들들은 컴퓨터를 뜯고 고치고 망가뜨리기를 반복하더니, 마침내 저렴한 가격으로 성능 좋은 컴퓨터를 조립하는 데 성공했다.

아들들이 센터에서 진행한 첫 번째 수업은 '맞춤 조립형 컴퓨터 만들기'였다. 그 당시에는 전문가가 아니면 쉽게 할 수 없는 수업이기에 중·고등 학생들에게는 인기가 있었다. 이렇게 아들들은 자신이 생활 속에서 경험으로 깨우친 것들을 학생들에게 가르쳤다. 아들은 카세트, 라디오, 드라이기 등 집에 있는 전자 제품을 무조건 분해했다. 아들은 무엇이든 내부를 봐야 직성이 풀렸고, 나는 망가져서 수리를 못하게 되도 무턱대고 아들을 혼내지는 않았다.

아들들이 전공을 찾고 직장을 찾을 때까지 센터에서 진행된 주말 수업은 유명세를 떨쳤다. 나는 일을 결정할 때 자녀들과 함께할 수 있는 일을 선택했고, 나의 경력은 곧 아들들의 성장 원동력이 되었다.

아들들이 떠날 때를 대비해서 오래전부터 미루던 상담 대학원 공부를 마쳤다. 아들들이 각자 전공을 찾아 떠나니 로봇 교육도 대회 준비도 나에게 큰 의미가 없어졌다.

자녀들이 떠난 후 레고를 이용한 놀이 치료를 했다. 정서장애 아동을 위해 미술 치료 그리기 대신 레고를 이용한 조립을 선택했다. 그리고 많은 레고 피규어를 통해 모래 놀이 치료도 했다. 영재성이 있는 아동에게도, 집중력이 떨어지는 틱 장애와 자폐 성향 아동들에게도 로봇은 상당한 집중력과 성취감을 주었다. 내 자녀를 가르치듯 능숙하게 아이들을 지도했다.

나는 아이들과 온전히 하나가 되어 내면을 들여다보며 아이에게 집중했다. 나는 수업 때마다 아이를 목마 태워 높이 두 손을 세우듯 만세를 외치며 아이들의 재능을 칭찬하고 응원했다. 아이들은 어느 누구 할 거 없이 빛나는 귀한 존재였다. 한 명 한 명 아이들의 미래가 기대되고 설레었다. 내게 맡겨진 자녀뿐만 아니라 나를 찾는 아이들을 정말 사랑했다.

부의 축척이 아니라 그들에게 미래를 준비하는 성장을 돕기 위해 나의 에너지와 자원을 아낌없이 지원했다. 나에게 맡겨진 한 명 한 명의 아이들이 어느 분야에서든 선한 영향력을 끼치는 지도자가 될 것이라는 신념으로 교육했다. 결국은 그 단 한 명이 가정, 사회, 국가에까지도 선한 변화를 주도할 수 있을 것이라는 믿음으로⋯.

저녁 산책

    남편은 운동을 좋아했다. 술을 먹고 온 날에도 남편은 어김없이 러닝머신 위에서 뛴 다음 자리에 눕는다. 하루라도 운동을 거르면 혀에 가시가 돋는다. 운동이 그렇게 좋다고 느낀다면 왜 혼자만 그렇게 열심히 할까? 남편은 나와 살면서 "당신도 운동해야지!"라든지 "우리 같이 해 볼까?"라며 내게 운동을 권한 적이 한 번도 없었다.

    이 글을 쓰면서 여러 가지로 남편에게 서운함이 많았다는 사실을 새삼 느낀다. 매일 집에서 혼자 운동하는 남편을 보며 서운해 했다. 무엇이든 좋은 정보가 있으면 남편에게 적극적으로 권하고 함께하려고 하는데, 남편은 나와는 완전히 달랐다. 지금까지 살면서 운동할 여유가 없었던 것도, 운동에 관심이 없던 것도 다 남편 탓을 하고 있었다.

갱년기가 되면서 살이 찌기 시작했다. 밤이면 온몸이 쑤시고 뼛속까지 통증이 왔다. 통증 때문에 밤잠을 설치기 시작하면서 모든 것이 귀찮아졌다. 아무리 정신을 차리려 해도 무기력해진 내 자신에게 도리어 실망만 커졌다.

야생 동물들은 아프면 깊은 동굴에 들어가 먹지도 않고 자가 회복이 될 때를 기다린다는데, 나는 '온통 무얼 먹어야 몸이 좋아질까?' 하는 생각만 했다. 정신을 차리려고 몸에 좋다는 건 보이는 대로 먹었다. 아니 마구 먹었다는 표현이 맞을 것이다. 그런데 이상하다. 먹으면 먹을수록 나아지기는커녕 정신이 혼미해지면서 눈에 힘이 풀리고, 몸이 나른해지며 눕고만 싶었다. 먹으면 졸리고, 정신을 차리려 또 먹고 악순환이 반복되었다.

체중은 상승 곡선을 그리며 올라가기 시작했다. 젊을 때는 살 찌는 체질이 아니었지만, 갱년기가 되고 보니 체질도 변화하나 보다. 사실 몇 해 전까지만 해도 마른 체형의 복부 비만이었다. 다이어트를 하려면 운동을 해야 한다는데 이제껏 운동이라고는 해본 적이 없으니 말이다.

무슨 운동을 어떻게 해야 할지도 모르겠다. 나는 이리 힘든데도 혼자만 건강하겠다고 운동하는 남편을 보면 화가 나면서도 부러워지기 시작했다. 나를 일으켜 운동할 수 있도록 이끌어줄 사람이 필요했다.

나는 생전 남편에게 무얼 부탁한 적이 없다. 그러나 지금은 자녀들도 다 떠나 있으니 부탁하고 도움을 청할 사람은 남편뿐이다. 남편에게 슬그머니 나와 하루 30분씩만 같이 걸어달라고 부탁을 했다. 그런데 웬일? 무뚝뚝한 남편이 흔쾌히 허락했다.

다음 날부터 남편과 함께하는 저녁 산책 시간을 맞추려고 서둘러 퇴근했다. 처음에는 30분은커녕 20분만 걸어도 다리뿐 아니라 허리와 목까지 아파왔다. 나중에 알았지만 척주와 골반이 완전히 틀어진 자세로 걷고 있었던 것이다.

우리가 걷는 둑길은 남편이 아침마다 부대 간부들과 구보하며 달리는 길이다. 남편은 주말을 빼고는 하루도 거르지 않고 부대원들 맨 앞에서 달리기를 했다고 자랑하듯 설명한다. 어느 날인가 남편의 한쪽 다리 인대가 늘어났다. 절룩거리며 퇴근한 남편은 다리를 쓰지 말라는 군의관의 말도 무시한 채 압박 붕대를 칭칭 감고 또 둑길을 뛰었다. 그런데 모두의 걱정을 뒤로 한 채 20일 만에 말짱하게 완치되어 붕대를 풀었다.

분명 남편은 운동을 할 줄 아는 대단한 남자다. 운동을 잘하는 남편과 숨쉬기만 하던 아내의 첫 산책은 이십 분도 채 안 되어 끝났다. 나는 숨이 턱까지 차올랐다. 이런 나를 바라보더니 남편은 내 손을 잡고 아무 말 없이 걷는다. 나는 너무 힘들어 그만 걷고 되돌아가자고 이야기하고 싶었지만, 남편이 잡아준 손의 따스한 온기가 좋았다.

얼마 만에 둘이 걷는 산책인가. 어둑어둑해지는 초저녁 시간의 둑방길은 호젓하고 여유로웠다. 우리가 걷는 길에는 논일을 마치고 경운기를 타고 가는 할아버지도, 마른 고추를 걷는 아낙네의 분주한 손놀림도, 마치 집에서 밥 짓는 소리가 들리듯 다 아름다운 삶의 모습들이 있었다.

아침에도 왔던 이 길을 귀찮아하지 않고 아내를 위해 동행해 준 남편이 고마웠다. 걷는 중간중간 남편은 내가 안쓰러운지 내 손을 당겨 꼭 잡아준다. 항상 서운함만 주던 남편은 진심으로 걱정하며 나를 도와주려고 애를 썼다. 간신히 시작한 남편과의 산책은 우울증으로 나약할 대로 나약해진 나를 위로하였고, 남편의 사랑은 내가 운동을 해야겠다는 의지를 되살아나게 했다.

남편과 함께 두 계절을 걸었다. 시간이 지날수록 걸을 수 있는 시간도 길어졌다. 몸속 잠자는 세포도 깨어나고 있었다. 시간이 지날수록 몸이 상쾌해졌다. 시작이 반이었다. 이제는 매일 한두 시간은 거뜬히 걸을 수 있다. 운동을 잘하는 남편을 부러워하던 아내는 이제는 남편보다 더 열심히 운동을 한다.

이제 누군가 운동을 어떻게 시작해야 하냐고 물어오면 사랑하는 사람과 함께 손잡고 산책부터 시작해 보라고 말하고 싶다.

번아웃

혹독한 인생 전반전이 끝난 탓일까? 나는 후반전을 번아웃 상태에서 시작했다. 하고 싶은 것이 없으니 매사에 의욕도 없었다. 마지막 날에 사과나무를 심는 각오로 진지하게 하루하루를 살아왔다. 아무 생각 없이 살아온 적은 단 한 번도 없었기에 지금 이 상황은 내 인생이 아니었다.

사람 만나는 것이 싫었다. 나에게는 다른 사람까지 신경쓸 에너지가 없었다. 혼자서 동굴 안에 숨어 있고 싶었다. 이제 남편은 혼자서도 자기 관리를 잘한다. 자녀들도 각자 인생을 설계하며 미래를 잘 준비하고 있었다. 별다른 근심 걱정이 있는 것도 아닌데 자꾸 우울해졌다. 가족에게 위로받고 싶었지만, 남편도 자녀들도 자기들 세상 속에서 바쁜 날을 보냈다.

　나를 귀찮게 하는 사람은 없었다. 그런데 나는 혼자 있게 해 달라고 소리치고 있었다. 복잡한 머릿속에는 남편과 자녀, 그리고 수업하는 아동까지 생각 레이더망으로 가득 차 있었다. 근거 없는 생각에 꼬리에 꼬리를 물며 미쳐가는 것 같았다. 그리고 이런 나를 아무에게도 보이고 싶지 않았다.

　건강을 위해 보양식을 챙겨 먹은 적이 별로 없었다. 이제껏 정신력으로 버티며 큰 병 없이 지낸 것이 기적이었다. 시작은 갱년기였다. 젊은 날 몸을 돌보지 않은 값을 혹독하게 치러야 했다. 호르몬의 균형이 무너지면서 살이 찌기 시작했고, 동시에 자존감도 무너졌다. 한번 망가진 나의 몸은 회복하는 데 많은 시간이 필요했다.

　누구나 나이가 되면 겪는 갱년기라고 쉽게 말하지만 경험하지 않은 사람은 전혀 모른다. 장마철 빨랫줄에 널어놓은 눅눅해진 이불 호청처럼 몸은 무겁기만 했다. 가장 큰 문제는 수면장애였다. 여러 방법을 써 보았지만 밤에 잠을 잘 수 없었다. 어떻게 하든 잠을 자고 싶었다. 더이상 참을 수가 없어서 정신과에 다니기 시작했고, 일곱 알이나 되는 우울증 약과 수면 유도제도 먹었다.

　약을 먹었지만 내 의지와 상관없이 맥 빠진 채 하루를 낭비했다. 존재감은 사라지고 점점 외로워졌다. 운전을 하다 보면 이대로 정면으로 달려가 박고 싶은 적도 있었다. 그냥 액셀레이터만 더 밟으면 모든 것이 끝이다. 이건 분명 자살 충동이었다. 제 정신이 아니었다. 약을 복용하면 할수록 약에 취해 있는 시간이 더 길어졌다. 일상 생활이 불가능해 질 것 같은 불안감이 엄습해 왔다.

멀쩡한 척 정신을 바짝 차리고 수업을 하러 갔다. 다행스럽게도 아무도 내 상태를 눈치채지 못했고, 수업도 부모 상담도 무사히 마쳤다. 나는 수업을 할 때 기진맥진할 정도로 온힘을 다 끌어 쓴다. 그렇게 수업을 하면 내가 살아 있다는 것을 느낀다. 그러나 수업하는 것이 점점 힘들어져서 다 그만두고 싶었지만, 의사는 일하는 것을 멈추지 말라고 강력하게 말했다. 내가 지금 버티고 있는 것은 일을 갖고 있기 때문이란다.

흔히 어르신들이 "살만하니 아프다."고 한다. 그렇다. 이제 살만한데 적신호가 떴다. 불면증 약의 부작용이 내게는 너무 심했다. 죽을힘을 다해 용기를 내고서야 간신히 약을 끊을 수 있었다. 많은 시행착오를 겪으며 약이 아닌 운동과 명상 그리고 건강한 식생활로 갱년기 증상을 하나씩 고치가기로 결심했고, 지금도 진행 중이다.

코골이와 다이어트

평생 다이어트를 해본 적이 없었다. 한때 스트레스를 받으면 허기진 배를 채우듯 폭식을 할 때가 있기는 했지만, 비만을 심각하게 고민해 본 적은 별로 없었다. 그러나 갱년기는 달랐다. 몸이 안 좋아지고 잠을 못자기 시작하면서 먹으면 먹는 대로 체중계의 숫자는 정직하게 올라갔다. '조금 찌다 다시 정상으로 내려가겠지' 하는 막연한 생각이 틀렸다는 것을 알게 되었다.

그때까지만 해도 비만이 내게 심각하게 다가오지는 않았다. 어느 날 계절이 바뀌어 꺼낸 옷이 하나도 맞지 않았다. 정말 웃기게도 순간 살이 쪘다는 생각이 안 들고 '왜 옷이 모두 줄었지'라는 어이없는 생각을 했다.

어느 날 다이어트를 본격적으로 시작하지 않으면 안 될 큰 사건이 일어났다. 군대에 간 아들이 휴가를 나왔다. 아들은 축농증 증상이 있어 가끔 머리가 아프다고 한 적이 있었다. 군에서 감기 후유증으로 축농증이 심하게 재발한 것이다. 군 병원에서 수술을 못하니 큰 종합병원에 가서 수술을 받고 오라는 병가 휴가였다.

그날 밤에도 잠을 설치며 뒤치락거리다가 새벽녘이 되어서야 깜빡 잠이 들었다. 눈을 떠보니 남편은 침대 옆자리에 없었다. 이상하게도 새벽녘에 거실 소파에 나가 잠을 자는 남편을 요즘 자주 보았다. 싸운 날에도 따로 자지 않는 우리 부부만의 철칙이 있었다. 그러니 자다가 이불을 들고 나가는 남편에게 이상한 느낌이 들었다.

아침에 소파에 나와 보니 남편과 아들은 이불을 한쪽에 걷어 치우고 노트북을 놓고 쇼핑몰에서 코골이 베개, 코 집게 등을 주문하고 있는 것이 아닌가. 아들은 주문 내역을 내게 보여준다. 가끔씩 술을 먹고 코를 고는 남편을 핀잔을 주기도 했었는데, 왜 지금 뜬금없이 아빠 코골이 물품을 지금 사는 것일까?

이상하다고 생각이 들자마자 갑자기 아들은 "엄마! 베개는 이것이 좋겠지?"한다. 나는 "엄마 꺼?"하며 웃으며 "엄마는 코 안 골아."하는 나의 한마디에 남편과 아들의 얼굴이 일그러진다. 아

들은 엄마 코골이 때문에 아빠가 소파에 나와 잤다는 말을 덧붙인
다. 내가 늦잠을 자는 사이 오랜만에 만난 아들에게 그동안의 고
충을 다 이야기를 한 모양이었다. 남편이 왜 소파에 나와 자는지
그제서야 알게 되었다.

내가 코를 곤다고는 전혀 생각조차 해 본 적이 없었다. 절대
로 인정할 수 없었지만, 누군가의 입증이 필요했다. 반사적으로
남편을 바라보며 구원의 손길을 구하듯 애처롭게 남편의 눈을 쳐
다보았지만 매정하게도 "당신 코골아!"하고 한 마디한다. 그러면
진작 말을 하지. 이제껏 불쌍하게도 남편은 나에게 말도 못하고
소파에서 잤단 말인가? 이유를 알고 나니 쥐구멍에라도 들어가고
싶었다.

남편은 기회는 이때다 하며 아들과 같이 이비인후과 병원에
가서 진찰을 받아보라고 권한다. 내가 미안해 할까 봐 말을 못한
남편을 생각하니 병원을 안 가겠다고 핑계를 댈 수도 없었다. 다
음 날 병원에 가서 아들의 축농증 진찰과 수술 날짜를 예약했다.
아들 상담이 빨리 끝나자 얼굴을 붉히며 코골이에 대해 상담을 받
았다. 의사 선생님은 먼저 코 엑스레이를 찍고 내일 다시 오라고
했다. 의사 선생님은 엑스레이 결과 살이 찌면서 콧구멍이 좁아졌
다고 했다. 내가 봐도 코 사이가 좁아 보였다. 얼마나 살이 쪘기

에 콧구멍에까지 살이 붙었을까? 진짜 한심한 생각이 들었다. 의사 선생님은 두 가지 방법을 제시했다.

첫 번째 방법은 다이어트로 살을 빼면 코골이는 자연히 없어지는 경우도 있다고 했다.

두 번째 방법으로는 잠잘 때 코고는 소리를 녹음한 후 그 소음의 측정 결과에 따라 코골이 수술을 권할 수도 있다고 했다. 핑계 같지만 코골이 녹음기계 대여 과정도 복잡할 뿐 아니라 몸에 칼을 대는 수술은 정말 겁이 났다. 남편과 아들이 몰아세우는 바람에 어쩔 수 없이 병원을 오긴 했지만 아직도 좀 억울하다는 생각이 들었다.

사람이 피곤하면 코를 골 수 있는데, 수술을 할 정도로 소리가 그렇게 클 거라고는 인정할 수 없었다. 진실을 밝히려면 코골이 기계로 녹음을 해서 증명해야 했지만 사실 그것도 귀찮았다.

결국 살을 빼기로 결심했다. 그때 생각으로 수술비로 다이어트 제품을 먹는다면 살을 금방 뺄 것이라는 생각에 의사 선생님께 다이어트를 해보겠노라 하고 병원을 나왔다. 이날의 충격으로 곧바로 다이어트에 돌입했다. 아들이 부대로 돌아가고 다음 날 엄마를 위해 주문한 코골이 방지용 물건들이 도착했다. 불면증이 심해 잠도 못자는 엄마에게 코에 집게를 끼고 자라니. 기껏 엄마를 생각해 사주고 간 물건을 보며 미안하게도 아들이 한없이 야속하기만 했다.

이때부터 시중에 나와 있는 다이어트 제품은 거의 다 먹어보았다. 많은 시행착오를 거치고 나서야 운동과 식생활을 개선하면서 3년 동안 요요 없는 다이어트에 성공했고, 당연히 코골이도 멈추었다. 지금은 10년째 균형 잡힌 몸을 유지하려고 열심히 운동과 식단을 관리하고 있다.

제5부

나를 찾는 여행

긴 외박

살기 위해서 아무도 없는 곳으로 가서 한동안 쉬어야겠다고 결심했다. 안전하면서도 치료를 받기 편한 곳을 여기저기 알아보고 있을 때였다. 내가 아프다는 소식을 듣고 미국에 있는 오빠한 테서 전화가 왔다. 오랜만에 가족에게조차 못한 이야기를 털어놨다. 오빠는 내 이야기를 다 듣더니 "너 그러다 죽겠다."하면서 미국에 와서 쉬면서 치료를 받으라고 한다. 미국에 오면 오빠가 다 도와줄테니 아무 걱정하지 말라며 아픈 동생을 위해 부탁하듯 이야기했다.

원래 한국을 떠날 생각까지는 안 했었다. 처음에는 일만 좀 쉬어도 괜찮겠다는 생각에, 강원도에 있는 먹거리를 잘 챙겨주는 자연건강치유센터를 염두에 두고 있었다. 전화를 끊고 생각해 보니 한국을 떠나는 것이 첫 번째로 해야 할 일이라는 생각이 들었다. 그래야 모든 걸 잊고 쉴 수 있을 것 같았다.

오빠네 집이라면 가족들도 반대할 이유가 없었다. 작은 새언니는 무공해 농작물로 요리하는 건강 요리사이니 먹을 것은 걱정할 필요가 없었다. 그리고 통증도 오빠에게 직접 치료받는다면 그보다 더 좋을 수 없었다. 오빠는 카이로프랙틱을 하는 한의사이다. 특히 오빠네 집 근처에는 운동 프로그램을 운영하는 다양한 운동 센터가 많다.

지금까지 운영해 오던 센터를 잠시 멈춰야 했다. 두 달씩이나 센터를 비울 수 있다는 생각은 지금까지 해 본적이 없었다. 그런데 내 의지가 확고하니 학부모들도 문제 제기를 안 했다. 일하며 한 달씩이라도 쉬었다면 내가 이렇게 번아웃이 되지도 않았을 것이다. 다행히 방학 기간이 끼어 있어서 순조롭게 수업을 정리했다. 사실 내가 돌아와도 수강생들이 모두 다시 온다는 보장은 없었지만, 더이상 겁날 것이 없었다. 다행스럽게도 두 달 후 아이들은 빠짐없이 돌아와 센터 문을 닫을 때까지 몇 해 동안 수업을 더 할 수 있었다.

가족 회의를 한다고 서울에 있는 아들까지 불러 모았다. 식사가 끝날 무렵 나는 가족에게 나 혼자 떠나는 여행을 이야기했다. 사실 남편에게는 몇 번 이야기했지만 내가 진짜로 실행에 옮길 것이라고는 생각하지 못한 모양이다. 큰아들은 당황한 듯 "엄마 왜 그래요 사춘기예요?"한다. 두 아들은 다른 길을 가겠다고 선언하는 엄마를 설득하기 바빴다. 남편은 깊은 생각에 잠겨 말이 없었다.

엄마가 힘들어서 일하기도 싫고, 사람을 만나는 것도 힘들어 잠시 조용한 곳에 가서 요양을 하고 오겠다고 이야기했지만, 아빠를 혼자를 두고 간다는 것을 아이들은 이해하지 못했다. 모두 각자의 생각대로 나를 설득하려 했지만, 내게는 아무 소리도 들리지 않았다. 나는 강하게 "엄마가 너무 힘들어 더는 못 버티겠어. 아무도 없는 곳에 가고 싶다."라고 큰 소리로 말했다. 아들들은 엄마가 힘들면 오히려 가족들과 함께 있어야 한다고 생각하는 것 같았다. 나는 가족들에게 상처를 주고 있었다. 자기들 때문에 엄마가 떠난다는 말처럼 들리는지 아들들의 얼굴에는 서운한 기색이 완연했다.

더 설명을 해도 아들들은 엄마가 얼마나 심각한지 이해할 수 없을 것이다. 항상 힘들다고 하면서도 다음날이면 여전히 씩씩한 엄마였으니 말이다. 눈물이 주르르 흘렀다. 우리집 남자 셋은 책임감 없어 보이는 엄마의 모습에 당황했다. 나 역시 가족의 반응에 실망하다 못해 화가 날 지경이지만 화낼 힘조차 없었다. 평소에 엄살 한번 피우지 않고 참으면 버틴 삶의 결과에 허망했다.

일어나 혼자 집으로 돌아왔다. 나에게는 더이상 변명도, 가족의 승낙도 필요하지 않았다. 가족 모두 나를 이해하지는 못했지만 나의 결정에는 수긍하는 듯했다. 가족들에게는 미안했지만 최대한 빨리 집에서 벗어나고 싶었다.

떠나기 전까지 병원과 한약방을 다니며 비행하는 동안만이라도 버틸 수 있는 컨디션을 만들려고 애썼다. 사실 긴 비행 시간은 내게 무리였다. 오빠 집에 가려면 열여섯 시간을 비행해야 한다. 사실 나 혼자 비행기를 타고 가는 것조차 자신이 없었다. 제일 미안한 것은 남편을 오랫동안 혼자 있게 하는 것이기에 남편과 나는 캐나다에서 며칠간 둘만의 여행을 하기로 계획하고 남편이 캐나다까지 동행해 주는 계획을 짰다.

떠나는 비행기 안에서부터 우리 부부는 이별 여행을 떠나는 기분이 들었다. 남편은 내가 영영 안 돌아올 것 같은 불안함을 느끼는 것 같았다. 회복되는 대로 최대한 빨리 집으로 돌아갈 것이라고 남편을 안심시켰다. 남편과 해외 여행을 많이 다녀보았지만 이번 여행은 사뭇 느낌이 달랐다. 헤어짐을 앞둔 마음 때문일까? 인생을 되돌아보며 차분하고 편안하게 둘만의 시간을 즐겼다.

로키산맥 정상에서 360도 눈앞에 펼쳐진 웅장한 자연 앞에 말문이 막혔다. 초자연적인 위력과 위대한 아름다움 앞에서 내 모습은 더욱 초라했다. 무엇을 위해 쉼도 없이 달려왔는지 부끄러웠다. 나는 먼지같이 작고 '후~'하고 불면 어디론가 사라질 것 같은 미미한 존재였다. 자연은 아등바등 살아온 나를 책망도 하고 위로도 해주는 것 같았다. 그것을 인정하는 순간 거대한 자연은 나의 오만함을 용서하고 품어 주는 것만 같았다. 내 속에 무엇인지 모르는 응어리가 녹아내렸다. 남은 인생은 흘러가는 대로 순리에 맡기며 살아야겠다는 생각이 들었다.

캐나다 여행의 마지막 날 오빠 부부는 나를 데리러 미국에서 캐나다까지 왔다. 남편은 오빠 부부와 하룻밤을 함께 지내고 다음 날 한국으로 돌아갔다. 그리고 나는 오빠와 함께 미국으로 왔다. 드디어 가족과 일을 떠나 나 혼자였다. 결혼 후 처음으로 느껴보는 홀가분한 자유였다.

오누이

캐나다 여행 중 사십여 년 만에 연락이 된 어릴 적 친구는 눈이 많이 왔는데도 남편과 함께 한 걸음에 우리 부부가 묵고 있는 호텔로 찾아왔다. 두 갈래로 땋아 내린 머리와 하얀 칼라의 교복이 잘 어울린 여고생에서 가냘픈 중년으로 변한 친구의 미소는 여전히 고왔다.

흘러간 세월 속에 깎인 인생의 흔적이 미소에 고스란히 묻어나왔다. 여리고 여린 스무 살 여대생이 눌러 앉은 외국 생활은 얼마나 고달팠을까. 친구는 고생을 하면서도 두 자녀를 교사로 훌륭히 잘 키워냈다. 이제는 여유로워 보이는 중후한 중년 부부의 모습에 '잘 살았구나, 잘 견뎠구나.' 우리는 서로를 칭찬하며 사십여 년의 회포를 몇 시간 만에 풀고 내게 선물을 건네며 호텔을 떠났다.

짧은 캐나다 여행을 끝내고 오빠 집에서 요양을 시작했다. 새 언니는 건강한 야채 요리를 찍어 올리는 요리 유투버다. 요리를 위해 직접 여러 종류의 야채를 키웠다. 건강을 회복하려면 먹거리의 중요성을 알고 있었고, 비건 음식에도 관심을 갖기 시작했다. 사실 엄마가 돌아가신 후에는 누가 해준 밥을 이렇게 매끼 얻어먹어본 적이 없었다. 새언니는 매끼 식사마다 농사지은 야채로 정성껏 식사를 차렸고, 감사의 기도와 함께 행복한 식사를 했다. 오빠는 바쁜 하루를 마치고서 저녁 준비를 한 언니를 위해 저녁 설거지를 잊지 않았다.

매일같이 오빠의 치료실에 가서 마사지와 운동요법으로 치료를 받았다. 오빠는 사십여 년 전에 미국에 왔다. 지금은 운동선수들을 치료하는 지역에선 소문난 치료사지만, 처음 이민 와서는 말 못할 어려움도 많았다. 오빠는 바쁜 일정 중에도 나를 더 치료해주고 싶어 했다. 비는 자리가 있으면 얼른 나를 불러 치료를 더 받게 했다.

검은 머리가 희끗희끗해지고 오랫동안 못 보았어도 어릴 적 오누이 사랑은 변함이 없었다. 지금의 오빠는 어릴 적 오빠와 변한 게 없었다. 하루가 다르게 마음도 몸도 좋아졌다. 몸이 조금씩 회복되자, 아침 산책과 체육관에서 헬스, 아쿠아 운동을 시작했다. 저녁 식사가 끝나고 오빠네 가족이 모두 한국 드라마를 보기 위해 벽난로 앞에 모일 때, 오빠와 나는 우리만의 수다가 시작했다. 오빠는 오랜만에 한국말을 실컷 한다면서 지칠 줄 모르고 이야기를 한다.

외국에 사는 한국 사람들은 한국을 떠날 때 그 시간을 가지고 가나보다. 어쩌면 그 시절을 잊지도 않고 고스란히 미국에서도 그 시절을 살아내는 것 같았다. 한국에 대한 추억이 그 시절에 멈추었다. 오빠와 이야기를 하다 보니 잊고 있던 고등학교 1학년 때 꾸던 꿈도, 숨겨져 있던 자존감도 일깨워지는 시간이었다. 어릴 적 엄마의 사랑을 듬뿍 받고 자란 우리는 추억을 되새김하며 서로 치유받고 있었다.

어린 시절 나는 오빠를 좋아했다. 오빠와 나는 같은 초등학교를 다녔다. 오빠가 6학년 때이다. 엄마는 오빠에게 따스한 점심을 먹이기 위해 주전자에 국을 담고 따스한 도시락 보자기에 쌓아 매번 나에게 도시락 심부름을 시키셨다. 오빠와 나는 세 살 차이가 난다. 그때는 전교생이 많아 학급 수도 많았다. 한 반 정원이 육십 명이 넘었다. 3학년까지는 오전 오후로 나누어 수업을 하는 2부제였다. 오빠는 6학년 4반 반장이었다. 주전자에 담긴 국이 흘러 넘칠까봐 조심조심 오빠 교실이 있는 4층까지 올라갔다.

교실에 도착하면 뒷문에 귀를 대고 수업이 끝났는지 확인을 하고 교실 뒷문을 살며시 열면 나를 본 오빠네 반 친구는 큰소리로 "반장! 동생 왔다."하며 오빠를 부른다. 오빠는 다른 친구들의 부러움을 사며 얼른 와 도시락을 받는다. 어느 땐 내 오후 수업 시작 시간이 다 되었는데도 오빠 반 수업이 끝날 생각을 안 해 발을 동동 구르기도 하였다. 창문 너머 이 광경을 보신 오빠 담임 선생님은 문을 스르르 여시며 내 머리를 쓰다듬으시며 대신 도시락을 받아주셨다.

지금 생각해 보니 도시락 심부름이 무척 힘들고 귀찮았을 만도 한데 주전자에 든 국의 온기가 식기 전에 가려고 발걸음을 재촉하던 기억만 있다. 오랜만에 잊고 있던 도시락 이야기를 하며 오빠를 잘 챙기는 착한 동생인 것을 다시 상기시키며 웃었다.

옛날에는 화장실이 안채가 아닌 대문 가까이 밖에 있었다. 저녁에 화장실을 가려면 누군가를 불러 같이 가야 했다. 언니보다 오빠와 친했는지 오빠를 불러 화장실에 데려다 달라고 부탁했다. 오빠는 화장실 앞에 도착하면 자기 손가락 검지를 세워 내 이마에 십자가를 그려주었다. "이제는 안 무섭지!"하는 한마디와 함께 마법같이 무서움은 진짜 싹 사라졌다.

이야기가 무르익어 미국으로 떠난 오빠를 그리워하던 엄마 이

193

야기까지 하다 보면 엄마의 임종을 못 본 아쉬움에 오빠는 눈시울이 붉어진다. 어릴 적 오빠와 나는 단짝이었다. 오빠는 커서까지 나의 든든한 보디가드였고, 나는 오빠를 잘 챙기는 잔소리꾼이었다.

저녁이 되면 오빠와 요가원을 다녔다. 명상과 호흡은 갱년기 우울증에 도움이 되었다. 미국 요가 선생님은 동양에서 온 요가를 잘하는 여자가 신기한가 보다. 영어가 안 되어도 수업을 알아들으며 한 호흡으로 운동을 하니 너무 재미 있었다.

요가 선생님 아버지께서 6.25전쟁 참전 용사 자격으로 얼마 전에 초청받아 서울에 다녀오셨다고 자랑을 한다. 대한민국은 어려울 때 도와준 감사함을 아는 멋진 나라로 여기는 것 같았다. 나도 순간 어깨가 으쓱했다. 한국이 자랑스러웠다.

오빠네 집에서 지내면서 어릴 적 사랑받았던 나로 돌아가고 있었다. 그동안 사랑받았다는 느낌을 받기보다는 사랑해야 하는 의무감 속에서 살았던 나였다. 그래서 외롭고 슬프고 버거운 삶의 무게를 고스란히 더 무겁게 느꼈나 보다. 그 외로움이 몽땅 병으로 나타난 거 같다. 조금씩 내가 사랑받고 있다고 느끼기 시작하면서 몸과 마음의 긴장이 풀리기 시작했다. 오빠와 수다 떠는 시간은 내가 사랑받았던 아이로 돌아가게 해주는 치유의 시간이었다.

LA 친구

몸이 조금 회복되자 어릴 적 친구 호숙이와 시간을 보내기 위해 LA로 떠났다. 호숙은 내가 힘들 때 항상 위로와 지지를 아끼지 않았던 친구다. 호숙은 고등학교 때 펜팔로 지금의 미국인 남편 짐을 만났다. 덕분에 한국말을 좀 하는 짐은 대학 졸업 후 한국 지사에 지원해 와서 호숙이와 결혼했다.

호숙은 미국에 살지만 한국 사람보다 더 한국적으로 사는 친구다. 나는 매년 친구에게 도토리 가루를 보낸다. 그러다가 내가 미국에 가면 내가 보냈던 도토리 가루로 도토리묵을 만들어 준다. 나는 이 나이가 되도록 도토리묵을 한 번도 만들어 본 적이 없는데 말이다. 그뿐만이 아니다. 여행 중에도 친정에 온 것 같은 착각을 느낄 정도로 김치와 청국장 같은 한국 음식을 맛깔나게 잘한다. 짐은 한글을 모르는 이민 2세들에게 한글을 가르치는 봉사를 한다.

내가 보기엔 호숙이는 전형적인 한국 어머니의 모습으로 살면서 희생적으로 가정을 이끌어 갔다. 남편이 회계사로 돈을 잘 버는데도 과용하지 않고 항상 검소하고 알뜰하게 살았다.

예민한 성격의 짐은 몸이 약해 고생했다. 호숙은 남편의 식사를 매끼마다 지극 정성으로 준비했다. 어쩌다 한국에 와서 함께 여행을 할 때에도 정말 놀라울 정도로 완벽하게 남편의 식단을 챙겼다. 이런 사랑을 아는 짐은 아내를 항상 자랑하듯 최고라며 칭찬을 아끼지 않았다. 짐은 아내를 위해 한국인 교회를 다니면서 평생 동한 한국말 공부를 열심히 하고 있었다.

친구가 손주의 생일 선물로 조각 이불을 만드는 것을 보았다. 예쁜 천을 조각조각 오려 두었다가 색을 맞추어 작은 조각보를 잇는 것은 여간 눈이 아픈 일이 아니다. 돋보기를 쓰고 바늘로 축복의 글과 이름을 새겨 한 땀 한 땀 바느질하는 모습은 손주를 위해 기도하는 모습과 같아 보였다. 어린 손주가 할머니의 손길을 느끼며 할머니의 사랑을 품고 잠들 것 같다. 친구 집에 있는 동안 틈만 나면 돋보기를 쓰고 퀼트를 하는 친구의 모습에서 나도 손주가 생기면 저렇게 이불을 만들어 주어야겠다는 생각을 하게 되었다.

짐은 젊었을 때 무슨 이유인지 모르지만 아버지와 사이가 안 좋아 집을 나왔다고 했다. 그후 짐은 심한 상처를 앉고 시아버지를 20년 동안이나 만나길 꺼려했단다. 그러나 호숙이의 헌신적인 노력으로 시아버지와 가슴에 오래 맺힌 상처와 오해를 다 풀 수 있었다고 했다. 호숙이는 이렇듯 남편을 위하고, 현명하고 사랑이 많은 친구다.

호숙이도 결혼 초부터 남편 짐과 사이가 좋았던 건 아니었다. 한국 지사에 근무하면서 신혼 생활을 지내고 미국으로 건너가 가끔씩 소식을 전할 때마다 친구는 행복해 보이지 않았고 많이 외로워했었다. 타국 생활에 얼마나 외로웠을까! 한국에서 이민 온 사람들이 사는 사회에서의 생활도 여의치 않았겠지만, 지금은 갓 이민와서 적응하지 못하는 이웃을 돕는 친구를 보니 대견하기까지 했다. 남편과 이웃에게 호숙의 존재감을 나타내기까지는 긴 시간이 걸렸겠지만, 호숙은 지혜로운 여자였다.

몇 해 전 짐이 쓰러져 며칠 동안 사경을 헤맨 적이 있었는데, 그때 친구는 사흘 밤낮으로 남편을 간호했다고 한다. 아내의 지극한 간호를 받고 몸이 완쾌된 후 남편이 호숙을 대하는 태도가 완전히 달라졌다고 한다. 한국에서는 당연한 일이지만, 미국

남편은 동양인 아내에게 큰 감동을 받았나 보다. 호숙 부부는 이런 일을 겪으면서 서로에 대한 신뢰와 믿음이 더 단단해졌다고 한다. 그들 부부에게는 가식 없이 혼신을 다해 서로를 기쁘고 즐겁게 해주려고 노력하는 모습이 보였다. 그리고 서로에게 자연스레 사랑과 감사를 표현하는 모습이 너무 아름다웠다.

짐은 작년에 퇴직했는데, 호숙에게 여러 개의 보장 보험 통장을 선물했단다. 아내에게 주기 위해 평생 아내도 모르게 준비했다고 한다. 퇴직과 동시에 아내 이름으로 재산을 떼어준다는 건 결코 쉬운 결단은 아닌데 말이다.

코로나 19가 어느 정도 풀려 여행이 재개되자 호숙 부부가 한국으로 여행을 왔다. 그들은 한국에 작은 집을 사고 싶다고 했다. 남편은 혹시 자기가 먼저 하늘나라에 가면 아내가 미국에서 혼자 살기보다 고국 땅에서 노후를 살게 해주고 싶다고 했다. 평생 함께 살다 혼자 남을 배우자가 미국의 행정 업무 등 어려운 문제에 부딪칠 것을 미리 염려한 세심한 배려였다.

남편 짐이 끝까지 아내를 책임지고 사랑하는 모습이 너무 소중해 보였다. 아내는 정성스런 마음을 남편에게 주고, 남편은 감사와 사랑으로 보답하는 호숙 부부를 보면 무척 부러웠다. 인생을 이기고 잘 살아온 호숙이 참으로 자랑스러웠다.

이렇게 지인들의 삶을 엿보며 해답을 찾고 있었다. 내 인생의 후반전을 어찌 살아야 할지 나를 돌아보며 이제껏 놓친 것이 무엇인지 찾아내고 싶었다. 분명 내 안에서 중요한 것을 잃어버린 것만 같았다. 더 늦기 전에 찾고 싶었다.

지금까지 충분히 가족을 사랑한 줄 알았다. 그런데 아니었는지도 모른다는 생각이 들었다. 자녀들에게 흡족하게 넘치게 사랑해 주고 싶었다. 일을 하느라, 또 남편을 신경쓰느라 최선을 다했지만 아들들에게 더 신경써 주지 못한 게 마음 한 구석에 아쉬움으로 남아 있었다.

나에게 시간이 얼마나 남아 있을까? 시간이 지나면 우리의 부모들같이 우리도 사라지겠지만, 내 안에 엄마의 흔적이 남아 있는 것 같이 자녀에게 아름다운 흔적을 남겨주며 떠나고 싶다. 그것이 삶의 뿌리이고 삶을 지탱할 수 있는 힘이 아닐까. 가족이 보고 싶어지면서 빨리 집으로 돌아가고 싶어졌다.

칼로 물 베기

  우리 부부는 다툰 적이 거의 없다. 우리 부부는 둘 다 싸움을 하는 성격도 못 되고 누구하나 큰소리를 내는 편도 아니다. 남편은 이야기를 하다 곤란하면 그 자리를 피한다. 그러니 싸움이 안 된다. 그날 역시 이야기하다 화가 난 남편은 산책을 한다며 집을 나갔다.

  돌아올 시간이 다 되어도 들어오지 않는 남편이 은근히 걱정되었다. 아들하고 아빠가 단단히 삐졌나 보다 하며 동네를 한 바퀴 돌며 남편이 가볼 만한 곳을 기웃거렸지만 보이지 않았다. 찾다 찾다 도저히 안 되어 집에 돌아오니 어느새 들어와 말짱하게 TV를 보고 있는 게 아닌가. "당신 삐졌지요?"하면서 당신을 한참이나 찾아다녔다는 말에 남편은 흐뭇한 미소를 짓는다. 이렇게 잠시 그때를 피하면 우리의 다툼은 아무 일도 없었던 게 되어버린다.

결혼 후 우리도 자주 의견 충돌이 있었다. 첫여름에는 수박을 자르는 것이 달랐다. 남편은 가로, 나는 세로로 자르는 것을 선호했다. 신혼 때 방바닥을 쓰는 빗자루를 하나 고를 때도 취향이 달랐다. 남편과 내가 살아온 환경이 많이 다르다는 것을 결혼 후 같이 사는 날부터 알게 되었다. 이사를 하고 3일 만에 집에 나타난 남편은 간신히 못질을 해서 걸어놓은 액자를 빼서 말도 없이 다른 곳에 거는 것이 아닌가. 내가 그 못을 박기 위해 얼마나 고생을 했는데…. 이처럼 작고 어이없는 일로 말다툼을 하고 삐지고 했었다.

남편은 양말을 뒤집어 벗은 대로 그 자리에 놔두었다. 정말 볼 때마다 너무 화가 나서 큰소리가 절로 나왔지만 진짜 많이 참으며 여러 번 부탁을 했다. 어떤 부부는 양말 사건으로 이혼까지 갔다는 이야기를 들은 적이 있다. 그 심정이 충분히 이해된다. 약 올리는 것도 아니고, 그리 부탁을 하는데도 매번 잊어버리는 남편이 이해가 안 되었다. 나는 짜증을 내며 지적을 하면 남편은 멋쩍은 듯 웃고 만다. 남편의 표정은 '크게 힘 드는 일도 아닌데 왜 매일 잔소리를 하지?' 하는 표정이었다.

아들이 생겨도 남편의 버릇은 쉽게 고쳐지지 않았다. 이 작은 일 하나 때문에 다른 것까지 자꾸 짜증이 느는 나를 발견하게 된다. 나는 그때 깨달았다. 남편은 저것이 정말로 편한 모양이었다. 퇴근해 돌아와서 자리에 앉자마자 빨리 양말을 벗고 싶었을까? 벗고 나니 얼마나 시원했을까? 나는 유치하게 시나리오를 쓰며 남편을 이해하려고 했다. 그리고 까짓것 저 남자 편한 거 그냥 하라고 놔두자는 생각이 들었다. 사실 양말 뒤집어 벗는 게 뭐가 큰일이란 말인가.

부부라도 각자 잘 안 되고, 못하고, 잘 안 보이는 일들이 있다. 그냥 안 되는 것은 부부끼리라도 봐주며 사는 것도 사랑 아닐까? 라고 생각하니 그렇게 보기 싫던 벗어 놓은 양말을 보면서도 그냥 용서가 되었다. 내가 신경을 안 쓰니 어느새 그 버릇도 사라졌다.

언젠가 이사 문제 때문에 다툰 적이 있었다. 적당한 시기에 살던 집을 팔고 신도시로 가면 좋겠는데 남편은 절대로 반대한다. 이유는 여러 가지다. 하지만 내가 생각하기에는 쓸데없는 기우인데도 남편의 생각은 단호하다. 몇 번을 설득하다가 한순간에 포기했다. 내 뜻대로 해서 몇 억의 수입이 생긴다 한들, 가족이 더 화목하게 잘 살기 위해 하려는 이사를 가장의 기를 꺾고 싸움을 하면서까지 성사시키고 싶지는 않았다. 돈보다는 화목이 먼저니까.

늘상 남편이 이야기를 먼저 꺼내기보다는 내가 의견을 내어 제안하고 남편의 협조를 구하는 편이 많았다. 남편은 불편한 마음이 들면 다음에 이야기하자며 자리를 피한다. 그러면 나는 불편함을 무릅쓰고 어렵게 꺼낸 이야기인데도 해결된 것 하나 없이 남편의 감정만 요동하게 한 것밖에 남은 것이 없었다. 더구나 어이없이 화를 내는 남편을 바라보면서 지레 겁을 먹는다. 우리의 대화는 중간에 끝이 나고, 나는 감정 해소도 안 된 상태로 모든 것이 정체되어 버린다. 그 와중에도 정해진 시간이 되면 남편은 잠자리에 든다.

나는 해결되지 않은 감정의 찌꺼기를 가지고 따라서 잠을 잘 수는 없었다. 더구나 내일 아침 풀리지 않은 감정으로 남편을 출근시키는 것은 어리석은 일이다. 괜스레 일을 만들어 심기를 불편하게 한 꼴이 되어 버렸다. 항상 남편은 나보다 한 수 위였다. 남편이 화를 내지 않도록 내가 좀 더 지혜롭게 상황을 만들지 못한 것이 아쉽고 미안했다. 결국 그 밤을 넘기지 못하고 성질 급한 내가 먼저 남편에게 사과를 했다.

우리는 싸움도 안 되고 대화도 안 된다. 내 의견을 말하기가 점점 힘들어졌다. 남편은 자기가 하기 싫고 귀찮은 일은 안 하려고 한다. 하지만 나는 옳다고 생각하는 것은 어떻게 하든지 남편의 동의를 받아서 관철시켜야 하니 계속 힘을 주어 요구를 해야만 했다. 싸우지 않고 무엇인가 요구하려면 생각을 바꿀 수 있도록 남편에게 장기전으로 조금씩 접근해야 했다.

그럴 때마다 매번 편지를 적었다. 쓰고 또 쓴 두툼한 편지를 출근하는 남편의 가방에 넣어둔다. 남편은 내 의도를 모르고 나는 남편의 감정선을 모른다. 더이상 마음의 벽을 쌓지 않도록 글로 나를 표현하고 보여준다. 편지를 읽고 들어오는 퇴근길의 남편은 자신이 사랑받고 있음을 이제야 깨달은 아이같이 어깨가 으쓱하다.

남편은 조금씩 나의 사랑을 느끼며 설득되고 우리는 서로 중화된다. 서로의 감정을 들여다보고 생각의 모난 부분을 깎아내는 시간을 갖는다. 그리고 내면의 변화를 조금씩 경험한다. 이런 과정이 끝나면 우리는 공감하며 지지해주는 마음에 감사한다.

결혼 초에 우린 두 가지 약속을 했었다. 다툼이 있어도 하룻밤을 넘기지 않고 화해를 하기로 했다. 이 약속을 지키려고 항상 내가 먼저 사과를 한다. 두 번째는 따로 잠을 자지 않는 것이다. 우리는 다툼이 있어도 얼굴도 보기 싫을 때도 약속 때문에 억지로 사과를 하고 이불 속에 눕는다. 마주 댄 등에서 서로의 호흡이 느껴지고 살갖의 온기가 숨소리와 함께 몸속으로 스며들기 시작한다. 그리고 하루를 돌이켜 생각해 보니 어느새 서운함도 원망도 별거 아닌 듯 눈 녹듯이 사라져 버린다.

　우리는 얼마 전부터 우리 둘만의 축제의 날을 정했다. 몇 해 전만 해도 남편의 퇴근길을 설레는 마음으로 기다렸는데, 요즘 들어 그러한 감정이 자꾸 줄어들었다. 그래서 우리는 일주일에 한 번 데이트 날을 정해 최대한 멋지고 예쁘게 꾸미고 나가서 외식도 하고 산책과 드라이브도 한다. 그리고 그날 밤 우리는 의도적으로 사랑을 한다. 나이가 드니 성스러운 사랑의 의식도 소홀하게 되었다. 그래서 남편도 나도 약속된 날에는 남자와 여자로서 아름다움을 풍요롭게 느끼는 시간을 갖기로 했다. 의식적이지만 사랑을 키우는 시간은 우리에게 매우 중요했다.

　부부 싸움은 '칼로 물 베기'라고 한다. 서로를 위해 존재하는 부부. 그런데도 오해와 서운함이 생긴다. 지나고 보니 누가 이기고 지는 것은 사실 무의미했다. 우리 두 명 중의 한 명이 승자가 된다고 해도 나머지 한 명은 패자가 되어 상처 투성이가 된다. 부부가 함께하는 이상 그 상처는 곧바로 승자인 한 명에게 되돌아갈 것이다. 모두에게 도움이 되는 싸움이 결코 아니다. 혹여 부부가 다투더라도 하룻밤을 넘기지 않고 사과하고 서운함이 더 깊어지기 전에 한 이불 속에서 함께하는 것은 부부 싸움을 칼로 물 베기로 만드는 우리 부부의 지혜로움이다.

결혼기념일

결혼기념일에 리마인드 웨딩 사진을 찍는 친구들이 있다. 내게는 39년 전 결혼식의 아픈 기억이 있기에 웨딩드레스에 대한 로망은 없었다. 매년 결혼기념일이 돌아올 때마다 부부가 결혼을 유지하며 한 해 한 해 사는 것 자체가 기적이라는 생각이 들었다. 사실 한 여자와 한 남자가 사십 년 동안 서로를 맞추며 사는 것은 엄청난 인내가 필요한 일이다. 그러니 좀 더 의미 있는 결혼기념일 행사를 하고 싶었다.

어느 해인가 남편에게 결혼기념일이 되기 전부터 선물을 사달라고 귀띔을 했었다. 사실 쑥스러워 선물을 사달라고 이야기하는 성격은 아니지만, 나이가 드니 친구 부부가 무슨 선물을 받았다고 하면 나도 한 번쯤 남편에게 넌지시 사달라고 해보고 싶었다. 그런데 남편은 "당신만 결혼했나?"하고 황당한 반응을 보인다. 사실 맞는 말이긴 했지만 어떤 남편이 대놓고 이런 말을 하겠는가. 이제껏 나는 결혼기념일 때마다 남편에게 의미 있는 선물을 했었다. 그러나 아픈 후부터는 자녀들이 우리 결혼기념일을 챙겨주는 것이 전부였다.

좀 더 의미 있는 결혼기념일을 보내기 위해 이런저런 고민을 했다. 그리고 문득 근력 운동을 시작한 지 얼마 되지는 않았지만 매일 조금씩 변해가는 남편의 모습이 생각났다. 그것을 찍어 남기면 재미있는 추억이 될 것 같았다. 우리가 나이가 들면서도 멋지게 변해가는 기록은 생활의 활력이 될 것 같았다.

남편에게 내년부터는 결혼기념일 선물 대신 근육을 만들어 부부 사진을 찍자고 제안을 했다. 지금까지 남편과 함께 같은 목표를 두고 함께해 본 적이 없었다. 남편은 묵묵부답. 대답이 없다. 쉽게 허락할 거라고는 생각하지 않았지만 역시나 무반응이다. 남편에게 무엇인가 요구하면 남편은 거절도 허락도 빨리 하지 않는다. 며칠 동안 계속 조르다가 "당신이 안 찍으면 나 혼자라도 찍겠다."고 일단 협박을 했다.

가끔 인스타그램을 보면 바디 프로필을 찍을 목적으로 운동하는 사람들이 있다. 운동하는 준비 과정을 올리면 사람들은 칭찬도 하고 힘내라고 응원도 해준다. 완성된 바디 프로필 사진 속의 주인공들은 배우처럼 아름답고 멋져 보였다. 운동을 좀 한다는 사람들은 다이어트를 하고 근육을 만들어 바디 프로필을 찍는 것이 목적이라고도 할 정도로 사진에 목숨을 거는 것 같았다. 부럽다고만 생각했는데 어느 때부터인가 나도 할 수 있겠다는 생각이 들었다. 그것도 혼자가 아니라 남편과 함께 말이다.

남편은 몸이 조금씩 만들어지면서 자신감이 붙기 시작했는지, 아니면 바디 프로필을 찍자고 조르는 내가 안 돼 보였는지 못 이기는 척 사진을 찍기로 약속을 했다. 몇 개월 동안 준비가 필요했다. 남편은 간식 먹는 것을 좋아해서 다이어트에는 전혀 관심이 없었다. 나는 간식 때문에 몇 번 잔소리를 했지만, 그러다 남편이 사진까지 안 찍겠다고 할까 봐 눈치만 보았다. 다이어트는 제대로 시작도 못하고 드디어 사진 찍는 날이 되었다. 옷을 여러 벌 준비해 가서 어느 옷이 어울리는지 작가에게 물어보며 옷을 갈아입었다.

오랜만에 카메라 앞에서 작가가 시키는 대로 포즈를 취한다. 살이 드러난 상체에는 기름을 잔뜩 발라 근육이 더욱 선명하게 보이게 한다. 허리를 젖히고 힙을 들고 그나마 조금 생긴 복근을 더 보이게 하려고 배에 힘을 주고 숨을 멈추기도 한다. 남편과 서로 안으

며 눈을 마주 보라는 작가의 말에 우리는 경직 되어 금방이라도 경련이 일어날 것 같은 얼굴을 보고 서로 웃음이 빵 터졌다.

부부 사진을 찍고 난 후 수영복 차림으로 독사진도 찍었다. 작가가 처음부터 권했지만 사실 자신이 없었다. 그러나 부부 사진을 찍다 보니 인스타그램을 보며 부러워만 했던 것을 나도 해보고 싶다는 생각이 들었다. 사실 내 스스로 쑥스러움이 문제였지 다른 것은 문제 되지 않았다.

자신 없는 부분은 보정되어 그런대로 흉하지 않게 사진은 완성되었다. 친구들은 사진을 보고 내가 그러했듯이 나를 부러워했다. 막상 해보면 별거 아닌 것을, 실행하기까지 용기 낸 것밖에 없었는데 사람들은 나를 특별하게 보았다.

바디 프로필을 찍고 우리는 훌륭한 결혼기념일의 추억을 남겼다. 사진을 찍기까지 삼사 개월 동안 우리는 서로가 운동하는 영상도 찍으면서 공통 주제를 가지고 이야기할 거리가 생겼다. 한 가지 목표를 정하고 준비하는 과정은 즐거웠다.

멍석 깔아주기

남편이 장점을 많이 가지고 있는 것을 알고 있었다. 그러나 살면서 남편에게 고질적인 몇 가지 단점을 지적하며 고쳐주기를 바랄 때가 있었다. 그러나 내가 지적하는 말을 남편이 순순히 수긍할 리가 없었다. 그렇기에 살면서 스스로 터득한 것이 있다. 남편에게 불편한 이야기를 하려면 말하는 타이밍이 매우 중요하다. 남편의 자존심을 건드리지 않기 위해 칭찬을 한참을 늘어놓는다. 그러다 살짝 본론에 들어가면 분위기도 어색하지 않고 남편도 불편한 이야기를 어렵지 않게 받아들였다.

어쩌다 급한 마음에 남편의 기분을 살피지 않고 불편한 이야기를 먼저 꺼내면 십중팔구 말다툼이 되어 버린다. 내 생각에는 남편이·분명 잘못한 것 같은데 어이없는 궤변을 늘어놓는다. 듣다 보면 말문이 탁 막히고 머리가 백지장같이 하얗게 된다. 그러다 아차 타이밍을 잘못 잡았다는 것을 느끼는 순간 모든 잘못은 나에게로 와 있었다. 내가 먼저 말을 꺼냈지만 본전도 못 찾을 때가 더 많았다. 결국 그런 분위기를 견디지 못해 매번 남편에게 사과를 했다.

이렇게 내가 먼저 사과하고 나면 짧으면 몇 시간, 길면 하루 동안 시간을 두고 생각한 남편은 자기가 너무했다는 생각이 들었는지 진심을 담은 눈빛으로 미안한 기색을 비친다. 이럴 때 얼른 남편이 사과하도록 멍석을 깔아준다.

사실 먼저 사과는 했지만 억울한 생각이 들어 이내 삐질 때도 있었다. 그러면 집안 분위기는 한동안 차가워진다. 남편이 자존심이 상하지 않고 사과할 수 있도록 돕는 것은 굳이 남편의 기를 꺾고 싶지 않기 때문이었다.

이렇게 멍석을 깔아주면 나의 마음을 아는지 남편은 조금씩 변해 갔다. 가족 간에도 자존심을 지켜주는 것은 가정의 평화를 지키는 데 매우 중요하다.

내게는 남편이 많은 사람을 품는 지도자가 되었으면 하는 바람이 있다. 그러기에 나를 위해서 어떻게 해달라는 부탁은 거의 하지 않는다. 대신 지도자로서의 소양을 하나하나 쌓아가다 보면 진짜 큰 그릇의 남자로, 내가 원하는 남편이 되어 있을 것으로 기대한다.

평소에 최대한의 관찰력을 동원해서 남편의 장점을 먼저 찾는다. 그리고 장점을 하나하나 나열하면서 진심을 담아 아주 구체적으로 칭찬을 한다. 이러다 보면 남편이 꼭 고쳐야 할 단점을 잊어버릴 때도 있었다. 아마도 남편이 꽤 괜찮은 남자라며 스스로 세뇌시키며 살고 있는지도 모른다. 그리고 시도 때도 없이 남편 칭찬만 하는 푼수 같은 아내가 될 때도 있다.

칭찬은 고래도 춤추게 하듯, 하는 사람도 받는 사람도 행복한 사람이 된다. 이렇게 우리 부부는 좌충우돌 행복을 찾아 39년째 보랏빛 신혼 일기는 쓰는 중이다.

동극 무대에 서서

무대에서 연기하는 배우들을 보면서 나도 저런 무대에서 배역을 맡아 연기해 보고 싶다는 충동을 종종 느꼈다. 다른 사람의 삶을 살아보는 것이 흥미로운 일처럼 생각되었다. 나는 동화책을 좋아해서 놀이 치료하는 어린이들에게 가끔 동화 이야기를 들려주었다. 좀 더 재미있는 목소리를 구연하고 싶어서 동화 구연 강의를 들었다. 연기하듯 동화를 재미있게 들려주면 아이들은 마냥 즐거워했다.

12주 강의를 수강한 다음 동화구연가 자격증을 땄다. 노후 준비로 나중에 소일거리로 할 수 있는 일을 준비하며 자격증을 따서 모았다. 무엇인가를 하면 증거를 남겨야만 성취감을 느끼는 성

제5부 나를 찾는 여행

격이다. 자격증만으로는 진짜 실력을 가늠하기는 어렵겠지만, 내 생각으로는 자격증이 있으면 기본은 준비된 사람이라는 생각이 들었다.

자격증을 받고 나니 수강생들 사이에서 어머니 구연 대회에 참가할 자격이 주어졌다고들 좋아했다. 그것이 무슨 대회인지 전혀 몰르고 있었다. 수업이 끝나자 강의실에는 대회 준비를 하려고 재수, 삼수하는 사람들이 모여 들었다. 연습을 하고 피드백을 받는 그들의 모습을 보면서 호기심이 발동했다. 그래서 수업이 끝난 지 한참이 지났는데도 그곳을 떠나지 못하고 있었다. 새로운 경험을 할 수 있는 기회가 온 것을 놓칠 수는 없었다. 만약 대회에서 수상하게 되면 색동회 회원이 됨과 동시에 인형극, 동극 공연단원이 된다고 했다.

센터 수업이 바쁘기는 했지만 이제껏 배워보지 못한 공연, 동화쓰기, 성대모사까지 색다른 영역을 접할 수 있는 기회를 절대 포기할 수 없었다. 그때부터 100년 전 방정환 선생님이 어린이를 위해 시작했다는 색동회 회원이 되기 위해 동화책을 줄여서 각색해서 원고를 적고 성대모사 연습을 하며 구연대회 준비를 열심히 했다. 그러나 두 페이지도 안 되는 원고를 외우는 것도 내게는 어려운 일이었다.

나레이터와 배역이 다른 세 명의 목소리를 바꾸어 가면서 연습했다. 처음 경험하는 영역이라 호기심 반으로 대회 참가 신청을 했지만, 대회라는 긴장감에 밤에 잠을 자려고 눈을 감아도 온통 원고 생각뿐이었다. 드디어 대회 날이 되었다. 아침 일찍 대회 장소를 찾아가는 시간부터 온몸이 떨렸다. 순서를 기다리고 있는데 원고의 내용이 까맣게 전혀 기억나지 않았다. 진짜 큰일이었다.

무대 위에서 원고 내용을 잊어버리면 감점 처리가 되니 불합격이다. 정신을 가다듬고 이야기 내용을 생각하며 배경과 상황을 설정했다. 그리고 배역 한 명, 한 명을 세우고 머릿속에 그림을 그리면서 세팅했다. 내 차례가 되어 무대에 올라 마이크를 잡았다. 차분하게 줄거리를 생각하면서 스토리를 전개하며 배역에 따라 목소리로 연기를 시작했다. 얼마나 떨리는지 다리가 후들거리는 것이 느껴졌지만, 이야기 속에 점점 몰입되고 있었다. 분위기가 무르익는 중간 즈음에는 나의 감정은 주인공인 여덟 살 여자아이의 슬픈 감정에 이입되어 있었다. 나도 모르는 사이 눈시울이 붉어지며 눈에는 눈물이 흘리며 여덟 살 여자아이가 되어 구슬픈 목소리를 내고 있었다.

무대 위에서 내가 이렇게까지 몰입이 될지 미처 몰랐다. 그날 우수상을 받았다. 그리고 동극과 인형극을 하는 동극 배우가 되었다. 너무도 신기한 일이었다. 동화를 좋아하는 하는 색동회원들은 한결같이 밝고 예쁜 마음을 가지고 있었다. 그들의 영혼은 비눗방울같이 투명한 일곱 빛깔 무지개 색을 내고 있었다. 어디서든 소재거리 하나만 있으면 동시도 동화도 즉석무대도 척척 만들어냈다. 그들이 모이는 곳에는 언제나 하하 호호 즐겁기만 했다. 신기하게도 색동회원들과 있으면 배가 아플 정도로 웃게 된다.

회원 어머니들은 어린 자녀에게 예쁜 목소리로 책을 읽어준다. 그들의 딸아이들은 초등생부터 어린이 대회, 중고등부~대학부 대회까지 경력도 화려하게 매년 구연 대회에 참가한다. 딸아이는 엄마가 되어 또 어머니 대회에 참가한다. 그러니 할머니도 엄마도 딸도 모두 색동회원이다. 그들은 동화같이 예쁜 마음을 가지고 어린아이가 어머니가 되고, 할머니가 되어도 예쁘고 보석같이 아름다운 마음을 지니며 산다. 나 역시 그들의 무지개빛 마음을 닮고 싶었다.

교육을 받은 지 2년 차에 나에게 첫 배역이 맡겨졌다. 배고픈 백두산 호랑이역이었다. 공연 시작부터 끝까지 춤과 대사로 바쁘게 연기하는 역할이었다. 우리는 각자 배역을 맡고 대사를 외우고 소품들을 손수 제작하고 무대 장치도 직접 다 만들었다. 과학 선생님을 했던 경험으로 과학적인 사고를 발휘해서 무대를 만들

때 도움을 줄 수 있었다. 대사 녹음과 무대 조명과 음향까지 점검하면 작품을 무대에 올릴 준비 완료다.

무대 공포증이 있는지 일단 무대에 오르면 온몸이 떨린다. 무대 뒤에서 나가는 순서와 춤의 스텝을 잊어버리지 않으려고 손에 쥔 대본을 보고 또 보았다. 사실 공연 전날 예상하지 못한 심한 교통 사고를 당했다. 입원해야 했지만 다음 날 공연 때문에 입원하지 않았다. 내 첫 무대를 절대로 망치고 싶지 않았다. 첫 무대의 흥분과 교통 사고 후유증으로 잠을 한숨도 못 잤지만, 아침에 일찍 서둘러 공연장으로 향했다.

얼굴에는 호랑이의 분장과 두꺼운 호랑이털옷을 입고 리허설을 마치고 공연이 시작되었다. 사백 명의 전 좌석이 꽉 찼다. 여러 유치원에서 단체 관람으로 관중석은 소란했다. 무대 뒤 커튼 사이로 아이들의 똘망똘망한 모습이 보였다. 그들을 보는 나도 심장이 쿵쿵거리기 시작했다.

교통 사고로 허리를 꼿꼿이 세우기도 어려웠지만 오늘은 첫 데뷔 무대이다. 호랑이털옷 속으로 식은땀이 주르룩 흐를 정도로 집중하며 공연을 무사히 마쳤다. 공연이 끝나자 어린아이들은 수줍은 듯 호랑이 옆에 와서 조심스레 내 손을 건드려본다. 이내 내 목소리를 듣고는 안심하고 사진을 찍는다. 우리는 아이들이다 퇴장할 때까지 극장 입구에서 인사를 건넸다.

도전은 희열을 느끼게 한다. 생전 근처에도 가본 적 없는 경험은 흥분되고 흥미롭다. 수업 때문에 시간에 쫓기고, 숙면을 취하지 못해 항상 피곤한 상태였지만 여전히 새로운 일을 찾고, 해내는 과정에서 떨면서 긴장하며 경험을 즐겼다. 나이 든 나에게는 스펙도 경력도 필요하지 않지만, 새로운 것을 경험 할 때마다 포기 안 하고 해냈다는 감정은 내가 살아 있다는 증거인 듯 진짜 신나는 일이다.

시니어 모델

처음으로 분장하듯 화장을 하고 몸매가 드러나는 옷을 입고 남들 앞에서 자신을 뽐내는 모델에 도전하였다. 시니어 모델을 처음 접한 건 텔레비전에서 시니어 모델을 뽑는 프로그램이 인기몰이를 할 때였다. 텔레비전에 비쳐진 사람들을 보면 모델이라고 하기에는 그다지 예쁘거나 날씬하지도 않고, 키가 크지도 않았다. 그런데 그들이 길지도 않은 런웨이를 스스로를 뽐내며 걷는 자신감에 찬 모습이 무척 멋져 보였다. "아, 저건 뭐지?" 나이가 들었는데도 젊은이들과는 또 다른 매력이 있었다.

처음에는 우습게 여겼다. 자신에게 도취되어 온갖 멋을 다 낸다고 생각했었다. 하지만 자신감이 없으면 할 수 없는 일이었다.

유치해 보여도 과장된 행동에서 그들만의 자신감이 엿보였다. 나에게는 그런 자신감이 없었다. 나라면 남들이 수근거리고 손가락질할까 봐서 상상도 못할 장면이었다. 프로그램 회차가 거듭될수록 유치해 보이던 출연자들이 성숙한 매력으로 변해가는 모습을 발견했다. 그들은 변신을 위해 당당히 노력하고 도전하고 있었다.

무엇엔가에 끌리듯 시니어 모델을 해보고 싶어졌다. 그리고 할 수 있겠다는 생각도 들었다. 수소문 끝에 문화센터 시니어 모델반에 등록했다. 대기자가 많아 한 학기가 지나서야 간신히 등록할 수 있었다. 첫 수업에 들어가니 모두 한껏 멋을 부리고 높은 구두를 신고 머리와 발까지 벽에 붙어 서 있는 기본 자세로 준비운동을 하고 있었다. 나도 얼떨결에 공간을 찾아 벽에 기댔다. 강사님이 돌아다니면서 허리가 벽에 붙었는지 일일이 허리에 손을 넣어보며 자세를 체크해 주었다. 오 분밖에 안 됐는데 벽에 붙은 다리가 부들부들 떨리기 시작했다.

수업이 시작되자 음악과 조명도 바뀌었다. 수강생들은 옷을 멋지게 입었고 모두 높은 구두를 신었다. 진짜 모델같이 음악에 맞춰 리듬을 타며 스텝을 밟고 턴을 돌았다. 그냥 걷는 데도 군무하듯 멋진 모습이 눈앞에 펼쳐졌다. 그들을 따라 쩔쩔매며 간신히 걸었다. 수강생들은 굽이 높아 금세 발이 삘 것만 같은 구두를 신고 잘만 걸었다. 그들은 스스로 모델처럼 행동하고 있었다.

다음 주에는 바바리 룩을 준비하고 액세서리를 가지고 오라는 말을 끝으로 수업이 끝났다. 자연스레 수강생들은 삼삼오오 짝을 지어 차를 마시러 가는 팀과 쇼핑하러 가는 팀으로 나뉘어졌다. 나와는 딴 세상을 살아가는 사람들 같았지만 자신을 뽐낼 줄 아는 건 무척 부러웠다. 하루의 소일거리를 찾으며 즐기는 모습이었다. 나에게는 익숙하지 않은 모습이지만 수강생들을 편견으로 쉽게 판단하고 싶지는 않았다.

본격적으로 모델 수업을 받기 위해 전문 학원에 등록했다. 첫날 수업이 끝난 후, 내일 오디션이 있으니 참석하란다. 사전 정보도 없이 다음 날 행사장에 도착해 보니 전국에서 모인 화려한 의상과 진한 화장을 한 모델들로 가득했다. 한 쪽에서는 분장사 앞에 줄을 서서 헤어와 메이크업을 하느라 분주하다. 그중에는 개인적으로 메이크업 선생과 사진 작가를 동행한 사람들도 있었다.

눈앞에 펼쳐진 세상은 별천지였다. 이런 행사를 처음 본 나는 촌스러운 이방인 같았다. 이곳에 온 이상 정신 차리고 그들 속에 동화되어야 한다. 어우러지고 스며들어 조화를 이루자는 생각에 먼저 인사하고 말을 걸었다. 이왕 발을 들였으니 남들 하는 대로 따라해 보기로 했다. 한 쪽에서는 포즈 연습이 한창이다. 나도 거울 앞에서 그들을 따라 포즈를 취했다. 유치하듯 모든 게 어색했지만 그들의 모습은 진지했다.

신기하게도 인스타에서 나를 봤다고 인사하는 사람들도 몇 있었다. 내가 무대에 올라갈 순서가 되었다. 놀라운 사실은 모델이 키가 크든 작든 전혀 상관없었다. 키는 그들이 신은 구두 굽으로 결정되었다. 무대 위에 오른 사람들은 십오 센티에서 이십 센티 높이의 굽이 달린 구두를 신었다. 나는 사전에 정보가 없었던 탓에 다른 모델의 키에 완전 짓눌렸다. 내가 가지고 있는 것 중에서 제일 높은 사 센티 굽의 구두를 신고 있었고, 작은 키가 아님에도 대책이 없었다. 그들은 옷으로 몸의 단점을 교묘하게 가리었고 화장으로 숨긴 나이는 가늠할 수도 없었다. 눈에 보여지는 자신감 있는 워킹만이 유능한 모델의 평가 기준이었다. 대단한 실력꾼들이었다. 무대 위에서 본 그들은 자신을 최대한으로 뽐내고 자랑하고 있었다.

무대에서 나에게 주어진 시간은 단 3분이다. 오로지 자신에게 집중하며 멋지고 자신 있게 음악에 맞춰 워킹을 해야 한다. 이미 가지고 타고난 시크한 표정과 몸매 및 큰 키도 시니어 모델에게는 중요하지 않았다. 그들의 노력으로 얻은 기회는 공평했다. 스포트라이트를 받으며 당당하게 스스로에게 도취되어 어떻게 무대를 장악하느

냐가 가장 중요했다. 무대 위를 장악하는 카리스마 넘치는 '무대를 즐기는 주인공'이 되고 싶었다.

눈부신 조명으로 관중석은 보이지 않았지만 나는 떨고 있었다. 내 눈앞에 펼쳐진 런웨이만 길게 보였다. 이제 빨간 카펫을 밟으며 걸어가면 된다. 마치 인생의 길을 걸어가듯 어느 누구도 내가 가는 길을 방해할 수 없었다. 내가 원하는 대로 보여 줄 수 있는 기회이다. 음악에 맞추어 걸어 나갔다. 조명은 현란하고 음악도 빠르게 바뀌며 나의 워킹이 나의 몸을 끌고 나간다. 한 발 한 발 그리고 멈추어 서서 몸을 비틀며 나를 표현한다.

그 순간 내 자신이 사랑스럽고 자랑스러웠다. 뜨거운 조명 아래 서 있는 나는 화려한 날개를 활짝 편 공작새처럼 아름다웠다. 나의 워킹은 음악에 맞춰 날갯짓하는 새처럼 자유로웠다. 조명의 열기 때문일까? 카타르시스를 느끼고 있었다. 스스로 나를 사랑스럽다고 느껴보는 이 기분! 도전해 보지 않았다면 이런 세상이 있는 것조차 영영 모를 뻔했다. 나는 자유를 실감하고 있었다.

친정엄마

나는 서울 만리동에서 2남 2녀 중 막내로 태어났다. 내 어머니는 제주도 섬사람으로 생활력이 무척 강하신 분이다. 고등학교 때 서울로 유학을 오셔서 장충동에 있는 소방서를 다니시는 다정하신 작은아버지 댁에서 사셨다.

어릴 적 나는 엄마의 한복 입은 모습을 무척 좋아했다. 외출하실 때에는 항상 단아한 한복을 입으시고, 대청마루 한 곁에 깨끗이 닦아 햇빛에 말린 코가 반짝반짝한 하얀 고무신을 신으셨다.

어느 비오는 날 수업이 끝나고 집에 돌아가는 길이었다. 우리 집이 저만큼 보이면 가지고 있던 우산을 접고 옆집 처마 밑에 서서 일부러 비를 흠뻑 맞았다. 그리고 대문을 열고 "엄마!"하고 부르면 엄마는 놀라 버선발로 나를 맞이하시며, 차가운 내 작은 손을 엄마의 따스한 젖가슴 밑에 넣어 녹여주셨다. 나는 엄마 품이 좋아 추운 날이면 그런 장난을 했었다.

엄마는 나에게 천사 같은 분이셨다. 거짓말을 하고 모든 것이 들통나서 겁에 질려 있을 때에도 엄마는 큰소리로 야단치시는 법이 없으셨다. 도리어 다른 형제 모르게 살며시 사탕을 주시며 조용히 타이르셨다. 그때 어린 나이였지만 엄마에게 너무나 부끄럽고 죄송스러웠다. 다시는 그런 잘못을 하지 않겠다고 다짐을 했었다.

엄마는 항상 내 편이셨고 든든한 후원자였다. 어떤 어려운 상황에서도 큰 꿈을 품을 수 있도록 자신감을 잃지 않게 믿어주시고 응원해 주셨다.

나는 몸이 약해 한 학년의 반은 결석을 했을 정도로 약골이었다. 한밤중에 경기를 심하게 하면 금방이라도 숨이 멈출 것만 같았다. 잠자는 것이 무서웠다. 아무리 졸려도 안 자려고 버티다 눈을 뜨면 어느새 창호지 문 사이로 환한 아침 햇살이 눈부시게 비춰지곤 했었다.

엄마가 생일 선물로 위인전집을 사 주셨다. 유관순, 이순신, 아문젠과 같은 위인전 읽기를 좋아했다. 추위를 견디는 힘을 키우려고 겨울에도 창문을 열고 잤다는 아문젠의 어린 시절 이야기가 오랫동안 뇌리에 남아 있었다. 가끔씩 위인들같이 계획하고 나를 단련하면서 어른이 되어 갔다. 그리고 스스로 누군가에게 가치 있는 사람이 되기 위해서 하나하나 준비했었다.

어릴 적 마음이 넉넉했었다. 우리집은 부자가 아니었는데도 나보다 어려운 친구들을 보면 내가 많이 가진 것을 미안해하면서 함께 나누었다. 나보다 다른 사람에게 더 좋은 것을 나눠주면서 기뻐했다. 지금 생각해도 어린아이가 그런 생각을 했는지 신기하기만 하다.

1960년대 동네에는 깡통을 들고 다니며 먹을 것을 구걸하는 사람들이 많았다. 엄마는 그런 어려운 사람을 잘 돌보셨다. 학교에서 돌아와 대문을 열면 엄마는 펌프 옆에서 누군가를 목욕시키고 깨끗한 옷으로 갈아입히셨다. 그리고 더럽고 찌그러진 깡통을 깨끗이 닦아서 거기에 하얀 쌀밥에 미역국을 가득 담아 주셨다. 돌아가는 거지의 유난히 깨끗한 깡통에는 김이 모락모락 났다. 그리고 몇 번이고 뒤돌아 인사를 하며 가는 모습이 생각났다. 이런 모습을 자주 목격한 나는 어릴 적에 고아원 원장이 꿈이었다. 마흔 살 때 대안 학교를 운영하며 그 꿈을 이루었다.

사랑은 부자라서 나눌 수 있는 것이 아니다. 어릴 적 아픔과 고통을 느끼면서 생명의 위대함과 하루의 소중함을 깨달았다. 기쁨과 사랑을 줄 수 있는 따스한 사람이 되고 싶었다. 사람은 태어나 누군가에게 희망이 되고 도움이 되는 삶을 살아야 한다고 생각하면서, 항상 넉넉한 마음으로 이웃들에게 사랑을 베푼 엄마를 닮은 엄마가 되고 싶었다.

위대한 사람이란 꼭 큰일을 해내는 사람만은 아니라고 생각한다. 단 한 사람을 사랑할 수 있는 사람이 위대한 사람이다. 그한 사람이 세상을 움직일 위대한 사람이 될 테니까.

제6부

Diamonds & Rust

아들과의 화해 1

큰아들은 막내와 아주 달랐다. 큰아들은 중학교 3학년 겨울 방학 때 미국으로 어학 연수를 갔다가 고집을 부려 그곳의 고등학교에 진학했다. 그리고 1년 반이 지나 여름 방학 때 남편은 잠시 들어온 아들의 발목을 붙잡았다. 그때에는 큰아들도 미국 생활에 지쳤는지 순순히 유학의 짐을 내려놓았다.

하지만 큰아들은 중학교 동창들과 학년이 차이 나는 고등학교에 편입하기를 거부했다. 어쩔 수 없이 검정고시와 대학입시를 동시에 준비해야 했다. 아들은 미국에서 미처 배우지 못한 물리와 화학을 배우기 위해 고액의 개인 과외를 원했다. 몇 개월만 지원해 주면 3년 과정을 끝내고 원하는 일류 대학에 가겠다고 큰소리를 쳤다. 동생도 있는데 형에게만 고액 과외를 시키는 것은 우리 형편에는 불가능했다.

하지만 큰아들은 부모를 이해하지 못했다. 지금까지 해달라는 것은 다 해주었는데 정작 가장 중요한 시기에 부모가 지원을 못 해준다는 것이 이해가 안 되는 모양이었다. 이제껏 남편 모르게 아들이 원하는 것은 무엇이든 다 해주었다. 하지만 이제는 더 이상 지원을 해줄 수 없었다. 그것 때문에 아들은 분노를 느끼고 있었다. 아들은 약자이고 부모는 강자였지만, 사실은 아들이 갑이고, 부모는 을이었다.

아들에게 미안했다. 그리고 엄마가 갑자기 변했다고 생각하지 않도록 아들의 심정을 이해하려고 애를 썼다. 하지만 아들의 요구는 끝이 없었다. 이런 상황에서 남편의 눈치까지 봐야 했고, 남편과 아들 사이가 소원해질까 염려스러웠다. 부자 사이에서 나는 점점 지쳐갔다. 이제는 아들에게 야속한 마음이 들었다. 이제껏 아들에게 공들였던 엄마에게 감사하는 마음은 어디에도 없었다. 아마도 유학을 중도에 포기하고 현실 적응이 어려워진 사춘기의 반란이었으리라. 이 반란은 대학 졸업 때까지 이어졌다.

아들이 부탁하는 것을 해주지 못하는 엄마는 무조건 죄인이었다. 엄마는 아들의 말이 이해되지 않았지만, 아들의 마음을 받아주고 싶기에 아들의 언어를 들리는 대로 받아들였다. 아파하는 아들의 마음을 보듬어주고 싶었다. 엄마의 판단을 내려놓을 때 즈음에야 아들은 엄마를 이해하기 시작했다. 엄마가 아무것도 없이 껍데기만 남았을 때, 아들은 그제야 엄마의 사랑을 깨달았다. 감사하게도 어려운 역경을 멋지게 이겨내고 사회에서 자기 몫을 하는 든든한 직장인이 되었다.

내가 더 힘들었던 것은 그 시기에도 남편은 보이지 않았다는 것이다. 집에 있을 때에도 남편은 말이 없었다. 남편은 아들을 먼저 판단하지 않았다. 당연히 야단을 치거나 잔소리도 하지 않았다. 남편은 열매 맺는 가을을 기다리듯 요란한 한여름의 태풍과 장마철을 눈감고 지나쳤다. 남편은 묵직한 침묵으로 항상 서재에서 조용히 책만 보고 있었다. 대학을 졸업한 이후 남편과 아들은 친구같이 가까워졌다. 다행이라고 생각하면서도 그 속에서 약간의 외로움을 느꼈다.

모든 풍파는 엄마인 나 혼자 꼼짝없이 맞았다. 말이 없는 남편은 언제나 아들들의 비난을 피해 나갔다. 엄마는 온갖 원망과 비난의 대상이 되었다. 여전히 엄마는 쓸쓸했다. 엄마는 최선을 다했지만 항상 자녀에게는 부족했고, 엄마의 사랑은 아무리 퍼주어도 모자랐다. 그래도 엄마가 자녀들을 끔찍하게 사랑한다는 것을 아들

233

들은 알고 있었다. 엄마는 넘치도록 주었다고 생각하지만, 자녀에게는 다 채워지지 않은 아쉬움과 상처를 남겼다. 그럴 때면 엄마는 몇 날이고 가슴이 아파 눈물을 흘리곤 했다.

이제는 성인이 된 아들은 엄마의 깊은 사랑을 아는지 엄마의 마음을 보듬어주는 넓은 가슴을 가진 아들이 되었다. 지난 질풍 노도의 시기에 용기를 내어 두려움과 맞서 싸웠으니 우리 아들은 이미 엄마에게는 승리자다. 지금 모습으로도 충분히 자랑스러운 아들! 이제부터는 행복하자. 주어진 것에 감사하고 엄마와 아빠, 동생 부부와 같이 너의 편이 되어줄 수 있는 지혜롭고 사랑스러운 여인을 만나기를 바라며. 아들아 응원하고 사랑한다.

아들 군대 보내기

아들이 대학 1학년을 마치고 군대를 가가 위해 기다리고 있을 때이다. 다음 학기가 시작되기 전에 입대해야 복학할 때도 시기가 맞을 텐데 기다려도 연락이 오지 않았다. 퇴근한 남편에게 입영 통지서가 언제 오는지 조심스럽게 물어보았지만 그건 병무청에 물어보라는 한마디뿐이었다. 그걸 누가 모르겠나. 우릴 아는 사람들은 장군인 남편 덕분에 편한 부대로 배치받았을 것이라 추측한다. 그건 남편을 몰라도 한참 모르는 이야기다.

다음날 할 수 없이 엄마인 내가 나설 수밖에. 병무청에 전화를 거니 아들 또래의 젊은 목소리가 흘러나오니 편안하게 문의할 수 있었다. 신체 검사를 언제 받았다고 하니까 일반병은 입영 날

짜를 정확하게 알 수 없으니 기다리라는 대답이었다. 혹시나 복학 관련도 있고 빨리 가는 방법은 없냐고 물으니 특과병 지원을 하면 원하는 부대와 시기도 선택할 수 있다는 반가운 정보를 얻고 전화를 끊었다.

아들은 미술 전공이었다. 과연 미술에 관한 어떤 특과병 분야가 있을지 의문이었지만 포기하지 않고 실낱같은 희망을 갖고 병무청에서 알려준 사이트를 샅샅이 뒤지기 시작했다. 일어나자마자 컴퓨터를 켜고 모집 공고가 떴는지 눈이 빠져라 컴퓨터 화면 구석구석을 찾아 헤맸다.

아들이 군대 갈 때쯤 되니 아들과 아빠의 군대라는 공동 주제가 생기기 시작했다. 학교를 다니다 주말에 아빠가 있는 관사에 가족들이 모이면 아들들이 아빠와 선배들에게 들은 병영 이야기를 하며 아빠와 제법 대화가 통하는 모습을 보니 내 마음까지 흐뭇하고 좋았다. 그런데 애를 태우며 입대를 기다리는 아들에게 장군 아빠는 아무 도움도 되지 못했다.

입영 날짜가 궁금한 아들에게 그건 병무청에 물어보라니 기가 막혔다. 이제껏 아빠는 부대에만 있는 아빠였다. 청소년 시절에 아들과 아빠의 추억은 완전 부재중이다. 남편은 무신경한 아빠였다. 아들에게 특별히 신경 써준 것이 없었다. 혹여나 아들이 서운하지나 않을지 염려도 되었다.

평생 남편이 부대에 있다는 것만으로 친척들이 이것저것 물어보면 눈치껏 내 선에서 끊어야 했다. 잘못 물어보면 남편의 불호령을 맞아야 하고, 물어온 친척이 최소한 서운하지 않도록 지혜롭게 중간에서 마무리해야 하니 죽을 맛이었다. 평생 이렇게 눈치 보며 살아왔는데, 이제 아들까지 그 상황에 처했다.

아빠 대신이라도 엄마가 뭔가를 해줘야 된다는 마음이 간절했다. '아들아 기다려라.' 꼭 찾아내고야 말겠다는 일념으로 컴퓨터를 켤 때마다 간절히 기회가 오길 기도했다. 거의 한 달쯤 되었을 때 드디어 모집 공고라는 글이 보였다.

특과병 모집이었지만 미술에 관한 건 없었다. 그런데 전산병을 모집하는 곳이 있었다. 강원도와 증평 두 군데였다. 입대 시기는 딱 좋았다. 증평은 우리가 신혼 살림을 하던 곳이기도 하고, 한 시간 거리에 있는 후방 부대이니 너무도 좋았다. 하지만 그림의 떡이었다. 전공이 완전히 다르니 가능성은 없을 듯했다. 하지만 한 달을 기다려 찾은 절호의 기회를 쉽게 포기할 순 없었다. 병무청에 전화를 걸어 조건들을 물어보았다. 포기하지 않고 이런저런 질문을 해대니 부대 번호를 알려주며 직접 담당관에게 문의해 보라고 했다.

부대에 전화를 걸어 "병무청에서 직접 문의해 보라고 하셔서 지금 전화를 드린다."하고 최대한 정중하게 전산병 지원 조건에 대해 하나하나 물어보았다. 아들이 컴퓨터를 잘하는지라 어떻게든지 실력을 입증할 수만 있다면 전공생보다 실력 면에선 월등할 수 있다고 쓸데없는 사설까지 늘어놓으며 이야기를 이어나갔다. 그런데 아들이 초등학교 때 따 놓은 자격증 생각이 나는 게 아닌가.

센터에서 방학 동안 큰아들과 또래회원을 위해 '컴퓨터기능사 자격증 특강'을 개설해 가르치고 있었다. 방학이니 작은아들이 형을 따라 특강 때마다 따라와 자연스레 수업을 듣더니 신기하게 그당시 최연소로 시험에 붙었다. 세상에 초등학교 5학년 때 따놓은 자격증으로 군대를 특기병으로 갈 수 있다고 그 누가 생각이나 했을까. 아들은 그날로 필요한 서류를 준비해서 넣었고 곧바로 입병통지서가 나와 군대를 골라서 가게 되었다. 너무도 놀랍고 감사한 일이었다.

아들이 군대 가는 날 나는 논산 훈련소까지 아들을 데려다 주었다. 군인 가족으로 반평생을 부대에서 살았는데, 아들 군대 보내는 일은 쉬울 줄 알았다. 그런데 이게 웬일인가. 아들을 부대에 내려주고 돌아오면서부터 아이가 잘 지내는지, 훈련은 잘 받는지 걱정이 되어서 편지 올 날만 손꼽아 기다렸다. 군대에서 처음 보낸 편지와 입고 간 옷이 소포로 도착했을 때는 기분이 이상하더니 눈시울이 뜨거워졌다.

장군 부인도 이 정도니 일반 병사 엄마들의 마음은 오죽 힘들었을까 하는 생각이 들었다. 이제껏 친구들이 아들을 군대에 보내고 걱정하면 그들에게 괜찮다고 성의 없이 위로했던 게 끝내 마음에 걸렸다.

아들이 군대 생활을 잘하길 바라는 마음으로 아들이 군대에 있는 동안에 매달 적금을 들어주었다. 이 쌈짓돈이 2년의 군대 생활에 활력이 되길 바랐다. 아들은 조소를 전공했다. '청년 창작 페스티발'에 나가고 싶다는 말을 여러 번 했기에 군 생활이 자신의 미래를 꿈꾸며 준비하는 시간이 되길 간절히 바랐다.

군대 계급이 올라가는 동안 저금도 목돈이 되어가니 아들의 꿈도 더 구체화되어가는 것 같았다. 나도 궁금했다. 그 돈이 작품의 재료비가 될지 아니면, 여행 경비나 사업 자금이 될지 알 수 없었다. 나는 매달 한 번씩 아들 면회를 가서 군 생활이 나태해지지 않도록 꿈을 상기시켜 주었다. 다행히 아들이 고뇌하면서도 성장하는 모습을 지켜 볼 수 있었다.

제대 후 아이의 짐 가방에 들어 있는 군대 수첩을 보고 정말 놀랐다. 12권의 군대 수첩에 빼곡하게 그려진 건 작품을 구상한 스케치들이었다. 군대에서 볼 수 있는 물건들이 많지는 않았지만 작은 수첩 좁은 테두리 안에 눈에 띄는 것마다 짧은 시간에 스케치한 노력들이 거기에 고스란히 남아 있었다. 지루할 시간 없이 잡념이 들어갈 틈도 없이 아이는 다가올 꿈을 현실로 준비하고 있었다.

목표가 있다는 건 놀라운 일이다. 아이는 동화 〈거위 꿈〉의 이야기같이 거위 한 마리를 사서 알을 낳고 또 그 알을 팔아 무엇을 할까 꿈을 꾼 것이었다. 반평생을 부대 안에서 청년들과 같이 살았다. 군부대가 청년들의 만남의 장이 되고 미래를 준비하는 도전이 장이 될 수 있길 바란다.

아들과의 화해 2

막내는 작년 겨울에 연애 육 개월 만에 결혼을 했다. 모든 것이 너무 빨리 이루어졌다. 얼마 전부터 아들이 결혼하기 전에 어릴 적 못 해주었던 것을 다 해주리라 결심했다. 엄마의 결심과 달리 몰래 연애를 시작한 까닭일까, 아들은 엄마를 필요로 하지 않았다.

자녀들이 한창 성장할 때 나는 바쁘고 힘들었다. 그 상황에서는 최선을 다한 시기였지만, 자녀에게는 상처가 흔적으로 남겨진 시기이기도 했다. 막내가 결혼을 하고 며늘아기와 집에 놀러 왔다. 어릴 적 앨범을 보며 초등학교 입학식 때의 이야기를 하는 중에, 아들 마음속에 아직도 풀리지 않은 상처가 있다는 것을 다시 한번 느꼈다. 웃으며 그 상황을 넘기기는 했지만 며칠이 지나도 체한 것처럼 마음이 불편했다.

어릴 적 못 해주었다고 해서 다 커버린 아들에게 해줄 수 있는 것은 아무것도 없다는 것을 뒤늦게 깨달았다. 엄마인 내가 더 가까이 갈수록 연애 중인 아들은 간격을 유지하는 것 같았다. 아들은 자기만의 세계를 준비하는 중이었다. 사랑은 받고 싶을 때 주어야 했다. 엄마가 할 수 있을 때가 아니라 아들이 간절히 원할 때 말이다. 가슴이 저리도록 아파왔다.

막내는 심성이 착하고 속이 깊었다. 어디에 내놓아도 반듯하고 자랑스러웠다. 어릴 적부터 다 커서까지도 엄마에게 무엇을 해 달라고 요구한 적이 한 번도 없었다. 막내가 의욕이 없는 것인지, 착한 성품 때문인지 가끔씩 걱정은 했지만, 바쁜 나는 그것을 심각한 문제로 받아들여 해결까지 할 생각은 못 했다.

내 기억에는 성탄절이나 생일날에도 무엇을 갖고 싶은지 물어보면 '엄마 맘대로' 한마디만 하고 더이상 말을 안 했다. 하고 싶고 갖고 싶은 것을 자제하는 듯했다. 왜였을까? 상대적으로 큰 아이는 호기심도 많고 하고 싶은 것도 많았다. 항상 나에게 버겁도록 많은 것을 원했다. 아마도 막내의 눈에는 엄마가 지치고 힘들어 보였나 보다. 어린 마음에 자기만이라도 무언가 요구하는 행위는 절대 하지 않기로 결심했었나 보다. 이 사실을 막내가 성인이 되어서야 알게 되었다.

어려서부터 큰아이는 몸이 약해 엄마인 내 곁을 떨어지질 않았다. 그에 비해 막내는 우량아로 건강하게 태어났다. 어릴 적 막내에게 너는 건강하니 혼자서도 무엇이든 잘할 수 있다는 말을 했나 보다. 그 말을 한 기억은 딱히 없지만 그렇게 이야기하고도 남았을 것이다. 그렇다. 막내는 우리집에서 형 같은 동생이었고, 형에게나 엄마인 나에게는 해결사였으니.

어렸지만 문제가 생기면 잘 들어주고 입이 무거운 막내에게 모두 이야기하곤 했다. 엄마였지만 나에게도 부재중인 남편 대신 의지할 누군가가 필요했는데 그게 막내였다. 지금 생각하니 어린 마음에 얼마나 무거운 짐이었을까 하는 생각이 들었지만 그때는 정말 몰랐다.

엄마 곁을 떨어지지 않았던 큰아들은 나의 한쪽 팔을 베고 잠이 들었다. 그러나 막내는 내 곁이 아닌 등을 지고 혼자 누워 잤다. 샘을 내며 다른 팔에 누울 만도 한데…. 그때도 가끔 이상하다는 생각이 들었다. 이름을 불러 엄마 옆에 오라고 했지만 아이는 못 들은 체 그냥 잠들곤 했었다.

성인이 되었을 때 아들에게 물었다. 아들의 대답은 형이 이미 한쪽 팔을 베고 있는데 자기까지 베면 엄마가 너무 힘들까 봐서 일부러 엄마 옆에 오지 못했다는 것이다. 엄마를 생각하는 맘은 기특했지만 어린 마음에 멍이 들지는 않았는지 그리고 얼마나 외로웠을까를 생각하니 또 마음이 아팠다.

가끔 큰아이가 병원에 가면 막내는 어린이집이나 서울 이모 집에 맡겨지곤 했다. 큰아이가 미국에 있는 병원을 가야 했기에 두어 달 집을 비워야 했다. 마침 입학식과 맞물린 시기여서 이모 집에 맡기고 나와 큰아이는 미국에 갔다. 지금처럼 현장 학습 제도가 있을 때도 아니었고, 더구나 입학식을 빼고 장기 결석은 생각도 할 수 없었다.

이모 집에서 형·누나의 사랑을 받으니 아들이 싫지만은 않을 거라는 나의 판단은 몽땅 어리석은 생각이었다. 막내는 엄마와 떨어져 있는 동안 감기와 장염을 달고 지냈다. 나는 나대로 경황이 전혀 없었다. 사실 막내에게는 자기만 두고 엄마와 형이 멀리 사라졌으니 그때 입은 상처와 박탈감이 컸을 것이다. 그럼에도 불구하고 곧 아빠가 될 아들은 밝은 성격으로 멋지게 커주었다.

장성한 아들들에게 흠이 될까 이 글쓰기를 망설였다. 막내가 아빠가 되기 전에 미안하다고 진심어린 사과를 하고, 아들의 상처와 화해하고 싶었다. 지난 시간 속에 사무치도록 아픈 일들이 가

시가 되어 아들 마음을 퍼렇게 멍들게 했었다. 아들에게 어려움을 잘 견디어주어 고맙다고, 그리고 어린 시절 남겨진 상처는 부모가 준 것이 사실이고, 부모의 직무 유기였다고. 부끄럽게도 환갑이 지나서야 아들에게 미안하다고 용서를 구하고 싶었다. 그 당시 엄마는 최선을 다했지만 그때는 엄마도 엄마를 처음해 보기에 현명한 엄마가 되는 방법을 잘 몰랐다고, 아들 맘을 깊이 들여다 보지 못해서 상처로 남게 해 미안하다고 사과하고 싶었다.

엄마의 아들로 태어나 줘 정말 고맙다! 아들아, 사랑한다.

진정한 사과

안식년의 마지막 작업으로 계획한 것은 우리 부부의 책 쓰기였다. 우리는 밥 먹는 시간도 아낄 정도로 경쟁하듯 종일 각자의 임무에 충실했다. 남편은 오랫동안 문서를 작성한 경험이 있었지만, 나는 살면서 남편에게 쓴 연애 편지와 싸우고 나서 쓰는 화해 편지 이외에 글이라고는 써 본 적이 없었다.

그러나 일단 글쓰기를 시작했으니 정한 목차를 따라 하나하나 글을 써 내려갔다. 그런데 그 시절을 시간 여행하듯 되돌아가서 힘들었던 때를 생각하면 커다란 복숭아씨가 덜커덩 목에 걸리듯 글이 멈추어 버렸다.

연애 때는 아팠지만 애틋한 사랑에 눈물을 흘렸다. 그러다가 힘들었던 결혼 전의 이야기를 적으며 나는 꼬박 3주를 앓았다. 우리는 원했지만 시댁에서는 달가워하지 않았던 결혼식 전날밤 이야기를 내 안에서 끄집어낼 때에는 심한 몸살을 앓으며 그때로 돌아갔다. 힘겹게 아픔을 참으며 한 줄 한 줄 써 내려갔고, 끝내 가슴이 답답해서 책상에 계속 앉아 있을 수가 없었다. 그리고 다시 책상에 앉아 글쓰기를 시작하기는 여간 어려운 일이 아니었다.

글을 쓰기 전에는 내 안에 울분이 있는 것도, 그것이 분노로 변해 있는 것도 전혀 몰랐다. 하지만 분노로 글을 써 내려가며 전쟁터에 나가는 무사처럼 무장하고 있었다. 그리고는 남편에게 사과를 받아야겠다고 결심했다. 사실 결혼 전 사건에 대한 분노는 3주가 지나도 전혀 사그라들지 않았다. 내 글이 세상에 안 나온다고 해도 남편에게 사과만 받는다면 글을 쓴 그만한 가치는 충분하다고 생각했다.

꼭지를 완성하자마자 남편 책상에 원고를 탁 놓았다. 그리고 엎어 놓고 "당신 나에게 사과해요."라고 했다. 남편은 영문도 모르고 어이없다는 듯 나를 쳐다보았다. 남편은 내가 얼마나 심각한지 모른 채 원고를 읽을 생각이 전혀 없어 보였다. 내 눈 앞에서 읽어야 내가 당장 사과를 받을 텐데 말이다. 책상에 앉아 있는 남편에게 다시 한번 힘주어 말했다.

남편은 협박 같은 나의 요구를 외면하지 못하고 하던 작업을 멈추고 원고를 들고 거실에 나가 몇 줄을 읽는다. 남편은 손이 떨리고 얼굴은 경직되어가고 있었다. 내가 3주 동안 느낀 분노와 울분과 서글픔의 감정을 남편도 똑같이 그대로 되새김하는 것 같았다. 좀 의아했다. 내가 남편에게 느낀 분노를 남편도 그대로 느끼는 것이 이상했다.

하지만 남편의 얼굴은 경직되다 못해 일그러지고 있었다. 그리고 원고를 쥔 손은 계속 떨렸다.

"여보 사과해요."라고 하는 말에 남편은 나를 쳐다보며 "나 이거 사과했었는데…."라고 한다. '당신이 사과했다면 내가 왜 이렇게 힘들까.' 잠시 생각이 멈췄지만 남편은 제대로 된 사과를 한 적이 단 한 번도 없었다.

이제껏 받은 형식적인 사과는 나의 분노를 잠재우지 못했다. "진심으로 나에게 사과해 달라고." 정말 화가 많이 나 있었다. 어떤 희생을 치르더라도 이번에는 나의 자존심을 회복하고야 말겠다고 다짐했다. 나는 이미 3주 동안 무장한 상태이니 겁 날 것이 하나도 없었다.

하지만 남편의 모습을 보니 이미 사과를 받은 것과 같았다. "당신은 힘들 때마다 나에게 사과하라고 했어." 남편은 맥없이 말을 한다. 그렇다 이 이야기는 힘들게 숨겨놓을 수밖에 없었던 풀리지 않은 응어리였다. 그러나 남편 역시 그럴 때마다 상처받으며 말도 못하고 힘들었던 것을 오늘에서야 알게 되었다.

남편 역시 피해자였던 것이다. 남편은 경직된 얼굴로 "사과할게!"라고 한 마디한다. 평소같이 어색한 사과가 아니었다. 남편은 그때서야 자신도 힘들었다고 이야기했다. '이 사람도 나에게 해주지 못한 것 때문에 마음이 아팠구나.'라는 생각이 들었다. 반대하는 결혼을 성사시키는 과정에서 남편에게 서운한 감정이 뒤섞여 있었다. 그러나 내게 이런 감정을 갖게 한 남편 역시 매우 힘들었나 보다.

젊은 날의 우리는 힘도 결정권도 없었다. 불어닥치는 태풍을 대비도 없이 그대로 맞았던 힘없는 시절이었다. 남편은 사랑하는 사람에게 상처만 안겨 주었으니 자신이 힘들어도 힘들다고 말하지 못했다. 이제껏 나는 나 혼자만 힘들었고 남편한테 외면당했다고 생각했다. 그러나 그게 아니었다. 내가 글을 끄집어내고 속앓이를 하며 앓았던 지난 몇 주를 생각하니 오랜 시간 동안 남편의 쓰린 가슴이 느껴졌다. 경직된 남편을 말없이 안아주었다. 남편의 얼굴은 쉽게 풀리지 않았다. 우리 두 사람 모두에게 충격적인 시간임에는 분명했다. 우리는 그날 말없이 각자의 시간을 보냈다.

나는 남편에게 보여준 원고를 파기하거나 수정할 결심을 했다. 다음 날이 되어도 남편의 얼굴은 편해 보이지는 않았다. 그런데 남편이 힘들어하면 할수록 나의 분노의 수치는 내려갔다. 남편도 힘들었다는 사실에 나는 위로가 되었다.

마음이 평온해지고 있었다. 집을 나서려는 남편을 보고 나는 "당신이 그렇게 힘든 줄 몰랐었어요." 하며 손을 잡았다. "우리는 억울해서라도 정말 행복하게 잘 살아야 해 알았지?"하며 나의 볼을 남편 입술에 갖다 댔다. 그리고 "내가 이것으로 퉁쳐 준다." 크게 말하며 배포 있게 남편을 용서했다.

남편에게 보여준 원고는 빼려고 했다. 그러나 남편은 그대로 원고를 보내라고 했다. 그리고 우리는 탈고할 때까지 서로의 원고를 보려고 하지 않았다. 더이상의 갈등은 서로 피하고 싶었다. 우리는 이 일을 계기로 더 행복해지기로 했다. 결심한 대로 우리는 행복해지기 위해 서로를 아끼며 노력하고 있었다.

새로운 나를 찾아 환골탈태

　나는 독수리를 좋아한다. 미국 국기에 그려진 흰머리 독수리를 보면 창공을 날아오르는 제왕의 위엄과 여유로움이 느껴진다. 독수리를 닮아가고 싶었다. 독수리의 수명은 70년이며, 새 중에서 가장 높이 나는 새이다. 폭풍이 불어오면 태풍에 몸을 싣고 더 높이 날아오른다. 그리고 태풍의 역경을 담대히 마주하며 그걸 기회로 삼아 높이 날아서 먼 곳에 있는 먹잇감을 순식간에 날아가 낚아챈다.

　이런 하늘의 제왕도 40년이 지나면 퇴물이 된다. 늙고 힘없는 독수리는 산꼭대기 절벽에 둥우리를 틀고 환골탈태를 결심해야 한다. 무거워진 깃털은 입으로 뽑는다. 그리하면 깃털이 뽑힌

자리에는 피가 맺힌다. 무딘 부리는 바위에 부딪쳐 깨고 뾰쪽하게 될 때까지 갈아댄다. 그리고 구부러진 발톱은 바위에 부딪쳐서 뽑는다. 독수리가 새롭게 다시 태어나기까지는 다섯 달의 시간을 기다려야 한다. 그사이 다른 동물의 공격을 피해 어둡고 비좁은 곳에 숨어 굶주림을 견뎌내야 한다. 이 과정을 모두 이겨내고 새로 태어난 독수리는 다시 30년을 하늘의 제왕으로 멋지게 살 수 있다.

새로운 탄생은 육체의 고통만 참아서 되는 것은 아니었다. 초라한 자신을 바라보며 수치심을 견디면서 새로워지겠다는 굳은 결심과 의지가 없다면 절대로 할 수 없는 일이다. 독수리 이야기는 갱년기를 겪는 나에게 큰 교훈이 되었다. 새롭게 변하고 싶었다. 내 속에 꿈틀꿈틀 뛰쳐나오려는 것이 무엇인지 확실하게는 모르겠지만, 내가 변하겠다고 작정만 한다면 내 안에서 문이 열릴 것만 같았다. 나는 은밀한 나를 찾아가는 작업을 해 보기로 결심했다.

나이가 들면서 달라지는 것 중의 하나는 좋은 일과 싫은 일을 당했을 때 쉽게 감격하거나 크게 슬퍼하는 않는다는 점이다. 감정이 무디어지는 것일까? 삶에서 깊은 골짜기를 경험한 탓일까? 무슨 일이 생겨도 "그럴 수 있지, 세상만사 내 뜻대로 되는 게 있으랴?"하며 철학가가 되곤 한다. 그러면서 매사에 의욕과 호기심이 사라져가는 나를 발견했다.

〈버킷리스트〉라는 영화를 보면서 자신을 제대로 돌보았는지, 나를 위로하고 아낀 적은 있었는지 새삼 생각해 보게 되었다. 정말로 내가 해보고 싶은 일이 무엇인지 깊이 생각할 기회도 갖게 되었다. 세상 떠날 시간을 받아놓고 인생을 아쉬워하는 어리석은 자가 되기는 싫었다. 그러기에 한 번도 경험해 보지 않은 것처럼 남은 인생을 재밌고 신나게 살아보고 싶었다.

돌이켜 보니 오랜 시간에 걸쳐 나를 위한 삶은 없었다고 단정짓게 된다. 분명 가족을 사랑하며 살았는데도 불구하고 왜 이런 생각이 들까? 스스로 깜짝 놀랐다. 어느 누구도 나에게 희생을 강요한 적은 없었다. 나는 일을 좋아했고, 남편과 자녀를 끔찍이 사랑하며 열심히 살았다. '다른 사람들도 나만큼 고생하며 살았겠지.'하고 당연한 생각을 하면서도 분명 지나온 시절의 꽁꽁 동여맨 피해 의식 보따리를 가슴에 움켜지고 있는 나를 볼 수 있었다.

분명 괜찮은 삶을 살았다고 생각하면서도 속으로는 억울함을 삭이며 분노가 고름이 되어 곪아 가는 나를 처음으로 발견했다. 이제껏 솔직한 마음으로 자신을 들여다볼 여유가 없었던 것이다.

솔직히 숨이 막히고 외로웠지만 아무에게도 말하지 못했다. 당연한 억눌림에 익숙해져 분노의 고름이 터질 때도 내 자신마저 그 사실을 모르고 있었던 것이다.

처음으로 남아 있는 인생을 놓고 고민을 했다. 타인이 아닌 나를 위해 살기로 결심했다. 사십 년 가깝게 직장인과 엄마와 아내, 며느리의 모든 호칭을 버리고 오직 여자인 나로 살아보고 싶었다. 결혼 전 오롯이 혼자였을 때처럼 독립된 나로 돌아가고 싶었다. 나라는 완숙된 여인의 삶은 어떤 향기일까? 궁금해지기 시작했다.

나는 배움을 두려워하지 않았다. 그것은 곧 새로운 도전이었다. 배움이 시작되면 새로움은 몸속에 접붙여진다. 그리고 낯섦이 낯익음으로 변화된다. 나라는 퍼즐이 완성되고, 조금씩 완숙되어 나만의 향기를 뿜어낸다. 나는 이렇게 조금씩 변해가고 있었다.

다시 태어나기를 결심하며 모든 고통을 감내하는 안식년을 갖기로 했다. 지금 새로운 나를 만들어가고 있는 시간이다. 목표점을 정하고 나를 찾아가는 작업이 시작되었지만, 과연 무엇을 하고 싶은지조차 깨닫기란 쉽지 않다.

그동안 고상하고 우아한 척하며 자신을 억누르며 남을 의식하며 모범생으로 살았다. 나도 모르게 숨어 있는 나를 찾아 드러

내고 싶었다. 한마디로 망가지고 싶었다. 미친 듯이 춤도 추고 노래도 멋들어지게 불러보고 싶다. 백발머리 할머니라도 요가복이 어울리고, 운동하는 모습이 멋지고 싶다. 얼마 전까지만 해도 나에겐 금기시된 일들이다. 스스로도 그러면 안 된다고 생각했고, 남편 역시 그걸 허용하지 않았을 것이다. 내가 변하겠다고 결심하니 남편도 더이상 못 말리는 눈치였다.

　게으르지 않았고 최선을 다했지만 평생 열등감에 시달렸다. 하루를 살아내기가 힘들 정도로 몸이 약했다. 이제는 자신감 있게 살고 싶다. 강하고 건강하고 싶다. 그리고 아름다운 여인의 향기를 찾고 싶다.

　나를 찾아가는 여행을 목표로 시작했다. 그래서 철저하고 구체적인 목적 의식을 가지고 계획을 세웠다. 환갑 전·후의 관심사가 달라졌다. 전에는 다 머리를 쓰는 일이었는데 지금은 몸을 쓰는 일을 한다. 이것이 나를 표현하는 일이다. 나이가 들면 모든 관심사가 건강이고 최대한 젊음을 유지하고 싶은 것이 모두의 꿈이다.

　상상도 해본 적이 없는 일이니 호기심에서였을까? 그냥 해보고 싶었다. 나는 어릴 적부터 걷는 게 이상했다. 키는 크고 말랐으나 자세는 구부정했다. 이제서야 아픈 원인을 찾아 자세 교정으로 고칠 수 있었다. 나는 건강하고 활기차고 강해지고 싶었다.

환골탈태를 결심한 나는 동굴 속에서 깃털과 발톱이 자라기를 기다리는 독수리같이 기쁨으로 인고의 시간을 견디었다. 용기와 투지가 필요한 나를 찾는 작업도 시작했다. 첫 작업은 오랫동안 내 몸에 스며든 열등감을 하나씩 체크하며 제거하는 것이었다. '나는 절대 못해.'라고 생각하는 일을 제일 먼저 시작했다. 그리고 상상해본 적도 없는 일에 도전했다. 저 깊은 동굴 속에 숨겨진 나의 보물 찾기가 시작됐다.

때낀 다이아몬드

　나의 미래를 남편에게 몽땅 걸었다. 남편은 다른 사람과 달랐다. 순수하면서도 결코 행동이 경솔하지 않다. 표현은 어눌했지만 감정의 요동이 없다. 자기 자신만 바라보는 장점이 있다. 처음에는 이것이 장점인지 몰랐다. 남편은 어느 누구와도 경쟁하지 않았다. 진급 시기에도 사람을 비교, 시기, 질투도 하지 않았다. 오직 자신만 바라보고, 자신과 경쟁하고, 자기 자신만 관리하고 있었다. 그리고 주어진 일에만 전념하는 말없이 성실한 사람이다.

　이런 장점과 달리 남편은 너무 소박했다. 재능이 있었지만 어떻게 겉으로 표현을 해야 할지 모르는 것 같았다. 야망이 없어 보였다. 남편은 큰 꿈을 꿀 수 있을 만한 재능이 있었지만 본인은 그것을 모르고 있는 것 같았다. 처음 보았을 때 어디서나 볼 수 있는 돌멩이처럼 남편은 평범했다.

그러나 내게는 남들이 못 보는 보석과 같이 빛나는 부분이 보였다. 만나면 만날수록 사랑할 수밖에 없었다. 말이 없어 강해 보였지만 여린 어린아이 같은 사람이었다. 순수함의 진가를 모르는 사람은 그것이 얼마나 귀한 것인 줄 모른다. 아마 그것은 나의 눈에만 보이는 것일지도 모른다. 저 남자를 구제할 사람은 세상에 나 하나뿐이라는 생각이 들었다.

원래는 다이아몬드였지만 흙속에 파묻히다 보니 때가 끼고 끼어 볼품없는 작은 돌멩이처럼 보이는 것이 남편의 진짜 모습이었다. 나는 믿었다. 닦고 또 닦는다면 빛나는 다이아몬드가 될 것이라는 것을 알고 있었다. 어쩌면 눈에 콩깍지가 씌워진 것일지도 모른다. 그 콩깍지는 아직까지도 벗겨지지 않은 채 진행 중이지만….

어쩌면 남편이 변해 있을 모습을 구체적으로 그리며 소망을 가지게 하는 마음은 내가 친정엄마를 닮아서 인지도 모른다. 나의 친정엄마는 그런 삶을 사셨다. 엄마는 영혼을 귀하게 여기는 사랑이 많은 분이셨다. 사람은 누구에게인가 사랑받고 믿어주고 바라면 바라는 대로 변한다는 것을 엄마는 자녀에게 실천하셨다.

에/필/로/그

우리 이야기

사랑의 결실인 아이들은 부모의 뒷모습을 보며 성장합니다. 부부가 어떻게 살아가는가 하는 것은 둘만의 문제가 아니라, 아이로 이어지는 운명의 실타래와 같습니다. 부부는 아이들을 위해 살아낼 용기를 얻고 삶을 이어갑니다.

남편은 가정의 생계를 위해 직장에 헌신했습니다. 어느 날 퇴직한 남편을 향해 가족은 가족을 등한시했다면서 죗값을 묻습니다. 원인도 모른 채 남편은 죄인이자 외톨이가 되었습니다. 그의 일터도 전쟁터였기에, 이미 지쳐버린 늙은 남편은 위엄을 잃지 않으려고 꼬장꼬장한 가장이라는 자존심을 내세웁니다.

남편은 아내와도 자녀와도 대화를 하면 할수록 답답하기만 합니다. 왜 그럴까요? 남편에게 표현해 보지 못한 감정은 그의 언어가 될 수 없었습니다. 어릴 적 배워보지 못한 언어는 말로 표현되지 못합니다. 그것이 바로 남편이 자기 감정을 온전히 표현하지 못하는 이유였습니다. 어눌한 목소리는 날로 커지고 날카로워지기만 합니다. 그러다가 끝내 입을 닫습니다. 찾아온 침묵의 깊이는 가장의 외로움만큼이나 깊습니다. 그 옆을 지킨 아내의 외로움 역시 남편이 느끼는 외로움의 깊이만큼이나 깊어집니다. 아내는 평생 바쁜 남편만을 그리워하며 퇴직할 남편만 기다렸습니다.

신혼 때부터 남편은 너무 바빴습니다. 하루를 통틀어도 부부가 이야기하는 시간은 출근 전 30분, 퇴근해 돌아와서는 채 10분이 넘지 않았습니다. 아내는 하루 23시간 20분을 혼자 외롭게 지낸 셈입니다. 아내는 생명수당을 받는 남편에게 투정도 잔소리도 할 수 없었습니다. 그렇게 사십 년을 남편을 바라보며 지냈습니다.

아내가 깊어가는 외로움을 느낄 새도 없었던 것은 품 안에서 자라나는 자녀들 때문이었습니다. 남편은 아내를 너무 믿어서인지 모든 가정사를 아내에게 맡겼습니다. 아이들의 교육도, 스물세 번의 이사도 바쁜 남편 없이 혼자 해내야 했습니다. 오로지 혼자 결정하고 헤쳐나가야 했습니다.

아이들은 죽순이 솟아나듯 어느새 다 자랐습니다. 자녀들은 이제 세상을 자신들의 기준으로 판별하고, 자신의 눈으로 부모를 바라봅니다. 그리고 자녀는 또 사랑하는 연인과 자신이 꾸릴 가정을 가늠합니다. 부모는 행복하지 않으면서 자식에게는 행복한 가정을 꾸리라고 말하는 건 모순일 것입니다. 부부는 자녀에게는 아름다운 행복한 가정을 보여주며 꿈꾸라고 말하고 싶었습니다.

세월이 지나 아내에게 갱년기가 찾아왔습니다. 남편에게 위로와 존중을 받지 못한 아내는 외로움에 지쳐 느닷없이 분노를 느꼈습니다. 빈둥지 증후군으로 아내는 우울증에 몸도 마음도 피폐해졌습니다. 아내는 모든 원인을 남편에게 돌렸습니다.

젊은 날 찬란하고 뜨거운 사랑으로 만난 부부의 모습은 어디에도 보이지 않습니다. 살기 위해 서로를 시야에서 지웠습니다. 그렇게 부부는 서로 투명 인간이 됩니다. 아내도 남편도 별 볼 일 없는 상대가 된 지 오래입니다. 부부 싸움을 하면 외로운 외침은 공허한 메아리가 되어 상처만 남습니다.

감정 없는 부부가 되어 얼마나 남았을지 모를 귀한 시간을 놓치는 건 너무도 어리석은 일이었음을 깨닫습니다. 당장이라도 죽을 것 같았던 아내는 긴 외박을 선언하며 처음으로 혼자가 되었습니다. 여행을 통해 타인의 삶을 엿보고 자신의 삶을 되돌아 보았습니다. 결국 서로를 넘치도록 사랑할 시간이 어쩌면 부족할지도 모른다는 생각에 이르렀습니다.

다시 가족에게 돌아온 아내는 운동을 시작했습니다. 아내와 엄마가 건강하지 않으면 가족의 행복은 없으니까요. 아내는 살기 위해 운동을 했습니다. 그리고 건강식을 먹어 가며 살을 뺐습니다. 아내가 변하니 남편도 변하기 시작했습니다. 그 덕분인지는 우연하게 SNS에 올린 운동 영상을 보고 여러 방송으로부터 출연을 제안받아 12차례 넘게 방송 출연도 했습니다.

무뚝뚝했던 남편은 TV 방송에서 이제껏 자기 중심적으로 살았으니, 이제는 아내를 위해 살겠노라 '좋은남편' 선언을 했습니다. 사실 아내가 남편을 바라보는 시점만 바뀌었을 뿐 남편은 오래 전부터도 항상 그 자리에 그대로 서 있었음을 알게 되었습니다. 다만 사랑을 언어로 표현하는 것이 어눌하고 미숙했을 뿐이었음을 깨닫게 되었습니다.

건강하게 운동하는 부부는 이제는 부부 작가가 되었습니다.

남편은 이땅의 젊은이를 위해 삶의 지혜를 주는《그대라는 젊음》
이라는 책을 출간했습니다. 아내는 갱년기로 가정의 위기를 겪는
중년 부부들을 위해 용기를 내라고 이 책을 냈습니다.

지금은 자녀들을 모두 분가시키고 부부만 남았습니다. 육십
오 세의 나이에 그동안 잊고 있었던 설렘과 사랑 이야기를 되뇌어
봅니다. 그리하여 아직 다 이루지 못한 우리들의 알콩달콩한 사랑
이야기를 완성하려 합니다. 노년으로 향하는 길목에서 넘치도록
풍족한 사랑 이야기와 변화를 두려워하지 않는 부부의 성장 이야
기는 계속될 것입니다.